Le grand livre de la cuisine italienne

Le grand livre de la cuisine italienne

• Marabout •

Sommaire

Les indispensables de la cuisine italienne

Parmesan

Fromage de vache à pâte dure et dense qui subit une maturation très longue. Le nom de parmesan est utilisé en dehors de l'Italie pour un groupe de fromage localement appelé *grana*. Le grana padano est fabriqué dans plusieurs régions d'Italie et l'alimentation des vaches qui produisent le lait destiné à sa fabrication n'est pas réglementée.

Le vrai parmesan ou parmigiano reggiano est fabriqué avec du lait de vaches nourries à l'herbe et au foin et son aire de production est limitée aux provinces de Parme, Reggio Emilia et Modène. Il subit une maturation plus lente que le grana padano et peut vieillir jusqu'à 3 ans. Si vous utilisez du parmesan râpé, achetez-le en morceau et râpez-le vous-même.

Mozzarella

La mozzarella est un fromage à pâte filée, tendre et élastique. Chauffée, elle se transforme en longs filaments. Elle est souvent employée sur les pizzas mais elle peut être également tranchée, en salade. La mozzarella fraîche a une saveur légèrement salée. La meilleure est la mozzarella di buffala, à base de lait de bufflonne (la mozzarella classique est fabriquée avec du lait de vache).

La mozzarella, qui se consomme fraîche, est conditionnée dans un emballage étanche, avec un peu d'eau salée ou un mélange de petit-lait et d'eau pour la garder humide. Le résidu de sa fabrication est utilisé pour faire la ricotta.

Les bocconcini sont des mozzarellas de la taille d'une noix.

Mortadelle

La mortadelle est une salaison fumée de texture molle. Elle est préparée avec 60 % de viande maigre (porc, mais aussi bœuf ou veau) et 40 % de gras. La chair est hachée finement tandis que le gras se présente en gros morceaux. On l'assaisonne d'épices et on y ajoute parfois des pistaches. Elle est servie en tranches très fines.

Pepperoni

Le pepperoni est un salami d'origine italienne long et fin. Préparé avec du porc, du bœuf et du piment en poudre, il est assez épicé.

Polenta

La polenta est une bouillie à base de semoule de maïs. On la verse en pluie dans de l'eau bouillante (parfois du bouillon) et on la fait cuire au moins 30 minutes, en remuant énergiquement pour éviter qu'elle ne colle au fond de la casserole. Quand la bouillie se détache de la casserole, la polenta est cuite. On peut alors l'agrémenter de beurre ou de parmesan. Elle se consomme en bouillie ou frite (mise à refroidir dans un plat peut profond, puis découpée et frite, voire grillée au four). On trouve dans le commerce une polenta précuite, qui permet de réduire considérablement le temps de préparation. Elle est moins savoureuse que la vraie polenta, mais tout à fait honorable… Très nourrissante, la polenta se déguste de préférence en hiver.

Prosciutto

Jambon cru salé, mis à sécher dans une pièce ventilée pendant 12 à 16 mois. Le jambon de Parme est une variante locale du prosciutto. Coupé en tranches très fines, le prosciutto cru accompagne à merveille le melon ou les figues. On le sert aussi avec des gressins ou du pain de campagne. Grillé ou frit, il entre dans la composition de nombreuses recettes italiennes. Achetez-les chez les bons traiteurs pour être sûr de sa qualité.

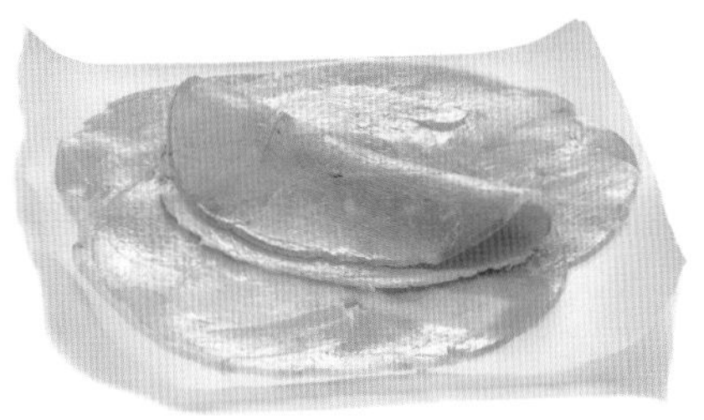

Focaccia

Pain plat rectangulaire dont la pâte est additionnée d'huile d'olive. Idéal pour les sandwichs et les toasts. Coupez-le en deux et toastez-le légèrement, puis badigeonnez-le d'huile d'olive avant de le garnir à votre guide : prosciutto, salami, tomates grillées, anchois, cœurs d'artichaut, fromage… Remettez-le sous le gril ou dégustez-le tel quel.

Pancetta

Il s'agit de lard maigre taillé dans le ventre du porc. C'est un ingrédient important de la cuisine italienne. On le fait généralement revenir à sec (sans matières grasses) pour commencer la plupart des sauces, en particulier la carbonara. On trouve aussi de la pancetta fumée, très utilisée dans le nord de l'Italie.

Ciabatta

La ciabatta est un pain plat de forme ovale. Il a une enveloppe croustillante et une mie tendre et aérée. C'est un pain léger avec un goût légèrement acide.

Les Italiens raffolent du fromage. Dans leur cuisine, ils utilisent beaucoup de fromages locaux, mais aussi des fromages en provenance de leurs voisins d'Europe.

La cuisson des pâtes

Les pâtes sèches

Elles doivent être cuites dans une grande quantité d'eau bouillante (environ 1 litre pour 100 g de pâtes), additionnée de sel dès l'ébullition, juste avant d'ajouter les pâtes. Versez les pâtes en pluie quand l'eau bouillonne largement (ce qui leur permet de bouger pendant la cuisson et leur évite ainsi de coller). Pour faire cuire des pâtes longues, comme les spaghettis, tenez-les par une extrémité et plongez-les progressivement dans l'eau pour les laisser se ramollir (les couper pour les faire cuire est considéré comme une hérésie). Faites cuire les pâtes *al dente* : elles doivent être tendres mais assez fermes pour offrir une certaine résistance sous la dent.

Le temps de cuisson des pâtes varie en fonction de leur forme, de leur composition et de leur nature (fraîche ou sèche). Veillez à respecter les indications figurant sur l'emballage. Sachez que les pâtes fraîches cuisent beaucoup plus vite que les sèches. Enfin, si vous les achetez chez un traiteur, n'hésitez pas à vous faire préciser le temps de cuisson.

Si vous préparez des pâtes froides, rincez-les uniquement après les avoir égouttées : passez-les sous l'eau froide, puis égouttez-les à nouveau.

Les pâtes sèches peuvent être conservées jusqu'à un an dans un lieu sec et frais. Quand elles sont cuites, elles se gardent 3 jours au réfrigérateur.

L'apport nutritionnel des pâtes

À base de blé et d'eau, les pâtes sont une bonne source d'hydrates de carbone complexes, d'acide folique, de vitamines et de sels minéraux. Très nutritives, elles répondent aux besoins des sportifs. Avec moins de 1 g de matières grasses pour 50 g, les pâtes peuvent être incluses dans un régime alimentaire équilibré pour les personnes qui surveillent leur poids.

La forme des pâtes

Associez les pâtes fines avec une sauce légère, à la tomate par exemple. Les pâtes plus larges, comme les tagliatelles, se marient bien avec les sauces épaisses (sauce bolognaise, sauce aux champignons, au fromage, à la crème...). Les pâtes tubulaires, longues ou courtes, se dégustent de préférence avec des sauces mijotées (à la viande, aux fruits de mer...). Utilisez les petites pâtes, comme les risoni ou les ditalini, dans les potages.

Manger des pâtes longues est un exercice périlleux, mais on en vient facilement à bout. Commencez par les aérer à la fourchette de façon à bien répartir la sauce, puis soulevez-en quelques-unes et faites-les glisser vers vous, dans un coin dégagé de votre assiette, pour pouvoir les faire tourner autour de la fourchette. Portez-les ensuite à la bouche sans les laisser dépasser de vos lèvres et sans les couper avec les dents. Enfin, sachez que si de nombreux restaurants vous proposent une cuillère pour manger les spaghettis, cet usage est très mal vu des Italiens.

fettuccine
spaghettis
penne
pappardelle
feuilles de lasagnes
à bord ondulé
tortellini
tagliatelles
rigatoni
feuilles de pâte fraîche
pour raviolis
fusilli
feuilles de lasagnes
farfallle

Les antipasti

Traditionnellement servis à l'apéritif, les antipasti se trouvent facilement en grandes surfaces ou chez le traiteur, mais vous pouvez les préparer vous-même. Composez un plateau avec de la charcuterie (salami, mortadelle, prosciutto…), des légumes (tomates grillées, aubergines marinées, champignons, poivrons grillés, cœurs d'artichaut, olives…), des fromages (bocconcini marinés, ricotta, gorgonzola, parmesan…) et servez avec du pain ou des bâtonnets croquants (grissini).

Olives marinées au romarin et au thym

Pour 4 personnes.

PRÉPARATION 10 MINUTES • CUISSON 5 MINUTES

200 g d'olives vertes, dénoyautées
200 g d'olives noires, dénoyautées
3 c. s. de thym frais
6 c. s. de romarin frais
2 gousses d'ail, pilées
625 ml d'huile d'olive
125 ml de jus de citron

1 Dans un bocal en verre chaud et stérilisé (contenance 1 litre), disposez plusieurs couches d'olives vertes et noires parsemées de thym, de romarin et d'ail.

2 Dans une casserole, faites chauffer à feu doux l'huile et le jus de citron, puis versez le tout sur les olives jusqu'à 1 cm du bord du bocal. Fermez le bocal quand il est encore chaud.

Par portion lipides 17,3 g ; 173 kcal

Conservation

Laissez reposer au moins 3 jours. Vous pouvez conserver cette préparation 3 mois au réfrigérateur.

L'astuce du chef

Au réfrigérateur, l'huile se solidifie. Avant de servir, laissez le bocal quelques minutes à température ambiante.

Aubergines marinées

Pour 40 pièces.

PRÉPARATION 15 MINUTES • CUISSON 10 MINUTES

10 petites aubergines
gros sel
1 l de vinaigre de vin blanc
500 ml d'eau
1 c. s. de menthe fraîche, ciselée
1 c. c. de thym séché
1 gousse d'ail, émincée
1 petit piment rouge, épépiné et émincé
1/2 c. c. de poivre noir moulu
375 ml d'huile d'olive, chaude

1 Coupez les aubergines en quatre dans le sens de la longueur et mettez-les dans un égouttoir. Parsemez de gros sel et laissez reposer 1 heure. Rincez les aubergines à l'eau froide et égouttez-les sur du papier absorbant.

2 Dans une casserole, faites chauffer le vinaigre et l'eau. Ajoutez les aubergines et laissez mijoter 5 minutes sans couvrir. Rincez à l'eau froide et égouttez.

3 Disposez les aubergines verticalement dans un bocal stérilisé (contenance 1 litre). Mélangez les herbes, l'ail, le piment, le poivre et l'huile dans un récipient, puis versez le tout sur les aubergines jusqu'à 1 cm du bord. Fermez le bocal quand il est encore chaud.

Par portion lipides 2,8 g ; 30 kcal

Conservation

Cette recette, plus savoureuse si elle est préparée 3 jours à l'avance, peut être conservée au réfrigérateur pendant 3 mois.

Friture de blanchailles

Pour 4 personnes.

PRÉPARATION 10 MINUTES • CUISSON 15 MINUTES

150 g de farine
6 c. s. de basilic frais, grossièrement haché
1 c. c. de sel aromatisé à l'ail
500 g de blanchailles (petits poissons pour friture)
huile végétale pour la friture

Mayonnaise épicée

300 g de mayonnaise
2 gousses d'ail, pilées
2 c. s. de jus de citron
1 c. s. de câpres, égouttées et émincées
1 c. s. de persil plat frais, grossièrement haché

1 Mélangez la farine, le basilic et le sel, puis roulez les poissons dans cette préparation.
2 Faites chauffer l'huile dans une sauteuse et faites frire les poissons en plusieurs fois. Égouttez-les sur du papier absorbant. Servez avec la mayonnaise épicée.

Mayonnaise épicée Dans un bol, mélangez la mayonnaise, l'ail, le jus de citron, les câpres et le persil jusqu'à obtention d'une préparation homogène.

Par portion lipides 48,1 g ; 709 kcal

Boulettes aux anchois

Pour 6 personnes.

PRÉPARATION 20 MINUTES • CUISSON 40 MINUTES

400 g de riz
2 c. c. d'huile d'olive
90 g de filets d'anchois à l'huile, égouttés et finement hachés
2 gousses d'ail, pilées
2 c. s. de concentré de tomate
1 c. s. de persil frais, finement haché
2 c. s. de parmesan, finement râpé
125 g de mozzarella, coupée en dés de 1 cm
farine
2 œufs, légèrement battus
100 g de chapelure
huile végétale pour la friture

Sauce tomate

1 branche de céleri, parée et émincée
1 petit oignon brun, émincé
1 gousse d'ail, pilée
140 g de concentré de tomate
375 ml d'eau

1 Faites cuire le riz dans une grande casserole d'eau bouillante salée, puis égouttez-le.
2 Faites chauffer l'huile d'olive dans une poêle et faites revenir les anchois, l'ail, le concentré de tomate et le persil jusqu'à ce que le mélange embaume. Mélangez le riz, la préparation aux anchois et le parmesan râpé dans un récipient, puis laissez refroidir.
3 Prélevez 2 cuillerées à soupe de cette préparation et faites-en une boulette en introduisant un cube de mozzarella à l'intérieur. Recommencez l'opération avec le reste du mélange.
4 Roulez les boulettes dans la farine, plongez-les dans les œufs battus puis dans la chapelure.
5 Faites chauffer l'huile dans une sauteuse et faites frire les boulettes en plusieurs fois. Égouttez-les sur du papier absorbant, puis servez avec la sauce tomate.

Sauce tomate Faites revenir le céleri, l'oignon et l'ail dans une poêle antiadhésive légèrement graissée. Versez le concentré de tomate et l'eau et portez à ébullition. Baissez le feu et laissez mijoter 15 minutes, jusqu'à épaississement.

Par portion lipides 17,8 g ; 522 kcal

Beignets au fromage

Pour 45 pièces environ.

PRÉPARATION 30 MINUTES • CUISSON 35 MINUTES

225 g de farine
75 g de farine avec levure incorporée
1 c. s. d'huile d'olive
180 ml de bouillon de bœuf
50 g de ricotta
40 g de cheddar, râpé
50 g de mozzarella, râpée
25 g de parmesan, râpé
50 g de salami, en rondelles très fines
1 blanc d'œuf, battu légèrement
1 c. s. de romarin frais, finement haché
1 pincée de noix de muscade
huile végétale pour la friture

1 Mélangez les deux farines dans un récipient et formez un puits au centre. Versez progressivement l'huile d'olive et le bouillon en travaillant la pâte à la main jusqu'à obtention d'une boule ferme.

2 Pétrissez la pâte sur un plan de travail légèrement fariné en la pressant fermement. Couvrez avec un torchon humide et laissez reposer 5 minutes.

3 Pendant ce temps, mélangez les fromages, le salami, le blanc d'œuf, le romarin et la noix de muscade dans un récipient.

4 Étalez la pâte sur le plan de travail fariné pour obtenir une feuille très fine. Découpez des disques de 5 cm de diamètre et couvrez d'un linge humide pour éviter que la pâte ne se dessèche.

5 Au centre de chaque disque, disposez 1 cuillerée à soupe de la préparation à base de fromage. Humidifiez les bords et recouvrez avec un autre disque de pâte, en pressant fermement les pourtours pour enfermer la garniture.

6 Faites chauffer l'huile végétale dans une sauteuse et faites frire les beignets en plusieurs fois. Égouttez-les sur du papier absorbant et servez aussitôt.

Par beignet lipides 2,6 g ; 50 kcal

Assortiment de la mer

6 personnes.

PRÉPARATION 30 MINUTES • MARINADE 12 HEURES • CUISSON 20 MINUTES

500 g de petits poulpes
500 g de gambas crues
12 noix de Saint-Jacques
300 g d'anneaux de calamars
300 g de filet de poisson à chair blanche, coupé en morceaux et débarrassé des arêtes
300 g de filet de saumon
125 ml d'huile d'olive
60 ml de vinaigre balsamique
35 g de tomates séchées à l'huile, égouttées et finement hachées
2 c. s. d'origan frais, finement haché
2 gousses d'ail, pilées
1 c. s. de jus de citron
3 queues de langoustines, coupées en deux
12 moules

1 Coupez la tête des poulpes et jetez-la. Retirez l'os plat à l'intérieur des corps. Décortiquez les gambas sans retirer les queues et enlevez la veine centrale.

2 Mélangez dans un récipient les poulpes, les gambas, les noix de Saint-Jacques, les calamars, le poisson, l'huile d'olive, le vinaigre, les tomates, l'origan, l'ail et le jus de citron. Laissez mariner toute une nuit au réfrigérateur.

3 Retirez les poulpes, les calamars, les noix de Saint-Jacques, et les filets de poissons de la marinade. Faites-les griller en plusieurs fois au barbecue ou sur une plaque en fonte légèrement huilée. Coupez le saumon en tranches fines.

4 Retirez les gambas de la marinade (jetez celle-ci) et faites-les griller avec les queues de langoustines. Faites cuire les moules de la même façon jusqu'à ce qu'elles s'ouvrent (éliminez celles qui sont restées fermées).

5 Présentez les fruits de mer et les morceaux de poisson sur un grand plat de service ou sur des assiettes individuelles.

Par portion lipides 26,4 g ; 495 kcal

Bagna cauda

Pour 8 personnes.

PRÉPARATION 10 MINUTES • CUISSON 25 MINUTES

Une entrée appétissante pour un déjeuner d'été. À vous de choisir les légumes que vous tremperez dans cette sauce crémeuse, parfumée à l'ail.

600 g de crème fraîche épaisse
60 g de beurre
45 g de filets d'anchois en conserve, égouttés et émincés
2 gousses d'ail, pilées

1 Mettez la crème dans une casserole et portez à ébullition. Baissez le feu, puis laissez mijoter 15 minutes à feu doux, en remuant sans cesse, jusqu'à épaississement.

2 Faites fondre le beurre à feu doux dans une casserole, sans le laisser roussir. Ajoutez les anchois et l'ail et remuez sur le feu, jusqu'à ce que le mélange forme une pâte homogène.

3 Versez la crème chaude dans la préparation aux anchois, mélangez bien. Servez chaud avec des légumes crus de votre choix.

Par cuillerée lipides 9,5 g ; 88 kcal

Champignons marinés

Pour 4 personnes.

PRÉPARATION 15 MINUTES • RÉFRIGÉRATION 3 HEURES

60 ml de jus de citron
125 ml d'huile d'olive
1/4 de c. c. de sel
1 c. c. d'estragon frais, ciselé
2 c. s. de persil frais, ciselé
250 g de champignons de Paris, émincés

1 Mélangez le jus de citron, l'huile, le sel, l'estragon et le persil dans un bol moyen ; remuez bien le tout. Ajoutez les champignons, puis mélangez. Couvrez et laissez mariner au moins 3 heures.
2 À l'aide d'une écumoire, sortez les champignons de la marinade avant de servir.

Par portion lipides 27,8 g ; 271 kcal

L'astuce du chef

Les champignons marinés sont délicieux avec une salade verte. Mélangez les feuilles de salade et les champignons, puis ajoutez un peu de marinade dans l'assaisonnement.

Calamars marinés

Pour 4 personnes.

PRÉPARATION 10 MINUTES • CUISSON 15 MINUTES • RÉFRIGÉRATION 12 HEURES

500 g de calamars
80 ml de jus de citron
80 ml d'huile d'olive
1 gousse d'ail, pilée
1 c. s. de persil frais, ciselé

1 Plongez les calamars dans un grand volume d'eau bouillante salée, puis baissez le feu. Laissez cuire 10 minutes à feu doux, jusqu'à ce qu'ils soient tendres. Égouttez-les.
2 Mélangez le jus de citron, l'huile et l'ail dans un récipient ; ajoutez les calamars. Couvrez et réservez une nuit au réfrigérateur.
3 Ajoutez le persil au moment de servir et remuez bien. Servez les calamars dans leur marinade.

Par portion lipides 19,3 g ; 236 kcal

Haricots blancs à la tomate

Pour 6 personnes.

PRÉPARATION 25 MINUTES • CUISSON 40 MINUTES

30 g de beurre
1 gousse d'ail, pilée
45 g de filets d'anchois en conserve, égouttés et émincés
2 oignons moyens, émincés
3 tomates moyennes, coupées finement
1 c. s. de concentré de tomate
1/2 c. c. de sucre
1 kg de haricots blancs, écossés
250 ml d'eau
1 c. s. de basilic frais, ciselé

1 Faites fondre le beurre dans une grande casserole ; faites cuire l'ail, les anchois, les oignons et les tomates jusqu'à ce que les oignons blondissent.

2 Ajoutez le concentré de tomate, le sucre et les haricots. Mélangez bien, puis ajoutez l'eau et portez à ébullition. Baissez le feu et laissez mijoter à couvert 30 minutes environ, jusqu'à ce que les haricots soient tendres. Garnissez de basilic avant de servir.

Par portion lipides 8,2 g ; 497 kcal

L'ASTUCE DU CHEF

À défaut de haricots blancs frais, prenez deux boîtes de 300 g de haricots borlotti ou cannellini. Égouttez-les et rincez-les bien, puis ajoutez-les à la préparation 10 minutes avant la fin de la cuisson.

Tomates rôties à l'ail et aux herbes

Pour 6 personnes.

PRÉPARATION 10 MINUTES • CUISSON 1 HEURE

9 grosses tomates
1 c. c. de sel
1 c. c. de poivre noir moulu
8 branches de thym
2 gousses d'ail, coupées en fines tranches
4 c. s. d'huile d'olive
2 c. c. d'origan frais, haché menu
1 c. c. de thym, haché menu

1 Préchauffez le four à 180 °C.

2 Coupez les tomates en deux. Disposez-les en une seule couche dans un plat légèrement graissé, côté chair tourné vers le haut. Salez et poivrez, ajoutez le thym et l'ail, puis arrosez avec la moitié de l'huile d'olive. Faites rôtir 1 heure, jusqu'à ce que les tomates soient tendres et légèrement brunes.

3 Parsemez avec les herbes restant et arrosez avec le reste d'huile d'olive.

Par portion lipides 9,3 g ; 24 kcal

Suggestion de présentation Ces tomates rôties accompagnent délicieusement des spaghettis.

L'astuce du chef

Faites rôtir les tomates dans un plat à bords hauts pour éviter qu'elles ne brunissent trop vite.

Carpaccio de bœuf aux herbes

Pour 8 personnes.

PRÉPARATION 25 MINUTES

500 g de filet de bœuf
80 ml d'huile d'olive
60 ml de jus de citron
3 c. s. de basilic frais
3 c. s. de persil plat frais
1 c. s. d'origan frais
1 c. s. de ciboulette fraîche, ciselée
25 g de tomates séchées à l'huile, égouttées et émincées
2 c. s. de parmesan, en copeaux
poivre noir du moulin

1 Roulez le filet de bœuf dans un film alimentaire en serrant bien, puis mettez-le 1 h 30 au congélateur.
2 Coupez le bœuf en tranches de 1 mm d'épaisseur et mettez-le au réfrigérateur.
3 Au moment de servir, disposez les tranches de bœuf sur les assiettes et arrosez-les d'huile d'olive et de jus de citron. Parsemez d'herbes fraîches, de tomates séchées et de copeaux de parmesan. Poivrez.

Par portion lipides 12,9 g ; 178 kcal

L'ASTUCE DU CHEF

Du thon très frais peut être utilisé à la place du bœuf (demandez à votre poissonnier de le découper). Si vous préparez un carpaccio de poisson, remplacez le parmesan par des câpres.

Dip au basilic

Pour 6 personnes.

PRÉPARATION 10 MINUTES • CUISSON 25 MINUTES

40 g de basilic frais, ciselé
1 gousse d'ail, pilée
2 c. s. de pignons de pin, grillés
2 c. s. de parmesan, finement râpé
2 c. s. d'huile d'olive
2 c. c. de jus de citron
300 g de fromage blanc

Pains pita à l'ail

4 pains pita
150 g de beurre, ramolli
2 gousses d'ail, pilées
50 g de parmesan, finement râpé

1. Mixez le basilic, l'ail, les pignons, le parmesan, l'huile et le jus de citron jusqu'à obtention d'un mélange lisse. Transférez cette préparation dans un bol et incorporez le fromage blanc.
2. Servez avec des triangles de pita à l'ail. (Vous pouvez préparer ce dip la veille et le conserver au réfrigérateur.)

Pains pita à l'ail Ouvrez les pains pita en deux et coupez chaque partie en triangles. Disposez ces derniers sur une plaque de cuisson, en une seule couche, côté mie tourné vers le haut. Mélangez l'ail et le beurre et badigeonnez-en les morceaux de pita, puis saupoudrez-les de parmesan. Laissez dorer 8 minutes sous le gril du four.

Par portion lipides 54,5 g ; 644 kcal

Champignons farcis

Pour 4 personnes.

PRÉPARATION 15 MINUTES • CUISSON 10 MINUTES

9 gros champignons de Paris
60 g de beurre, ramolli
3 tranches de bacon, hachées
4 oignons verts, finement hachés
2 gousses d'ail, pilées
2 c. s. de chapelure
1 c. s. de crème fraîche
2 c. c. d'origan frais, grossièrement haché
2 c. s. de parmesan, râpé

1 Hachez finement 1 champignon ainsi que les pieds des champignons restants.
2 Badigeonnez de beurre l'intérieur des têtes des champignons et disposez-les sur la grille du four légèrement graissée. Préchauffez le four à 200 °C.
3 Faites revenir le bacon et l'oignon dans une poêle antiadhésive jusqu'à ce que le bacon soit croustillant. Incorporez les champignons hachés, l'ail et la chapelure et laissez cuire jusqu'à obtention d'un mélange homogène. Ajoutez la crème et l'origan. Farcissez les champignons et saupoudrez de parmesan râpé.
4 Faites cuire les champignons au four pendant 10 minutes.

Par portion lipides 17,4 g ; 236 kcal

Fenouil en vinaigrette

Pour 4 personnes.

PRÉPARATION 10 MINUTES • CUISSON 25 MINUTES

375 ml d'eau
180 ml d'huile d'olive
180 ml de vinaigre de vin blanc
60 ml de vin blanc sec
1 oignon brun, émincé
1 gousse d'ail, pilée
8 grains de poivre noir
1 feuille de laurier
1 1/2 c. c. de graines de moutarde jaune
4 bulbes de fenouil, parés
1 1/2 c. s. de feuilles de fenouil, hachées

1 Mélangez l'eau, l'huile, le vinaigre, le vin, l'oignon, l'ail, les grains de poivre, le laurier et les graines de moutarde dans une casserole. Portez à ébullition. Baissez le feu et laissez mijoter 4 minutes.
2 Coupez les bulbes de fenouil en deux, ajoutez-les dans la casserole et portez à nouveau à ébullition, puis laissez mijoter 15 minutes.
3 Quand les bulbes sont tendres, retirez-les de la casserole. Passez le liquide au tamis, au-dessus d'un saladier. Mettez les bulbes de fenouil dans le saladier et remuez délicatement. Servez très frais.

Par portion lipides 41,4 g ; 457 kcal

L'ASTUCE DU CHEF

Cette recette peut être préparée jusqu'à 3 jours à l'avance.

Cœurs d'artichaut marinés

Pour 8 personnes.

PRÉPARATION 30 MINUTES • CUISSON 20 MINUTES

10 petits artichauts violets
3 citrons, coupés en deux
1 gousse d'ail, pilée
1 c. c. de grains de poivre noir
1 l de vinaigre de vin blanc
500 ml d'eau
375 ml d'huile d'olive, chaude

1. Retirez les tiges des artichauts et les feuilles extérieures pour ne conserver que la partie centrale.
2. Coupez le haut des artichauts en enlevant les feuilles vertes et frottez-les avec la moitié d'un citron. Mettez-les dans un récipient en verre, ajoutez l'autre moitié de citron et recouvrez d'eau.
3. Faites chauffer l'ail, les grains de poivre, le vinaigre et l'eau dans une poêle anti-adhésive. Quand le mélange est chaud, ajoutez les artichauts égouttés et les citrons restants et laissez mijoter 15 minutes. Égouttez les artichauts et laissez-les refroidir 5 minutes.
4. Retirez les feuilles centrales et prélevez les foins à l'aide d'une petite cuillère. Coupez les cœurs d'artichaut en deux dans le sens de la longueur et mettez-les dans un bocal stérilisé (contenance 1 litre). Versez l'huile d'olive chaude jusqu'à 1 cm du bord. Fermez le bocal quand il est encore chaud. Mettez au réfrigérateur 1 semaine avant de servir.

Par portion lipides 7,3 g ; 106 kcal

Conservation

Cette préparation se conserve jusqu'à 3 mois au réfrigérateur.

Moules farcies

Pour 4 personnes.

PRÉPARATION 20 MINUTES • RÉFRIGÉRATION 30 MINUTES • CUISSON 10 MINUTES

24 moules d'Espagne
180 ml d'eau
60 ml d'huile d'olive
1 gousse d'ail, pilée
2 c. s. de persil frais, finement haché
35 g de chapelure
1 tomate, épépinée et hachée finement

1 Nettoyez les moules avec une brosse dure et retirez les barbes. Faites chauffer l'eau dans une casserole, ajoutez les moules et laissez cuire 3 minutes à feu vif jusqu'à ce qu'elles s'ouvrent. (Éliminez toutes celles qui sont restées fermées.)

2 Retirez les moules de leurs coquilles. Conservez la moitié des coquilles. Mélangez délicatement les moules, l'huile, l'ail, le persil et la chapelure dans un récipient. Couvrez et laissez au réfrigérateur 30 minutes au moins.

3 Mettez une moule dans chaque coquille et disposez-les en une seule couche sur une plaque de cuisson. Mélangez les morceaux de tomate avec le reste de la préparation. Nappez les moules de ce mélange et passez-les 5 minutes sous le gril du four. Servez aussitôt.

Par portion lipides 14,5 g ; 176 kcal

Bouchées d'olives au fromage

Pour 8 personnes.

PRÉPARATION 35 MINUTES • CUISSON 20 MINUTES

150 g de farine
100 g de beurre, coupé en dés
80 g de parmesan, râpé finement
2 c. c. d'origan séché
2 c. s. d'eau
50 petites olives farcies

1 Dans un récipient creux, mélangez la farine, le beurre, le parmesan, l'origan et l'eau jusqu'à obtention d'une pâte homogène. Couvrez et laissez reposer 30 minutes au réfrigérateur.
2 Égouttez les olives sur du papier absorbant.
3 Abaissez la pâte entre deux feuilles de papier sulfurisé jusqu'à ce qu'elle fasse 3 mm d'épaisseur. Découpez des disques de pâte de 4 cm de diamètre, disposez une olive au centre et rabattez la pâte sur l'olive en pressant bien.
4 Disposez les bouchées aux olives sur une plaque de cuisson et laissez reposer 30 minutes au réfrigérateur. Préchauffez le four à 180 °C.
5 Faites cuire les bouchées 20 minutes, jusqu'à ce que la pâte soit bien dorée. Laissez refroidir avant de servir.

Par bouchée lipides 3,2 g ; 37 kcal

Olives marinées à l'orange

Pour 4 personnes.

PRÉPARATION 10 MINUTES • CUISSON 5 MINUTES

600 g de grosses olives vertes, égouttées
3 rondelles d'orange, coupées en quatre
5 branches d'origan frais
250 ml d'huile d'olive
125 ml de jus d'orange
2 c. c. de grains de poivre noir

1 Mettez les olives, les morceaux d'orange et l'origan dans un bocal chaud stérilisé (contenance 1 litre).
2 Faites chauffer l'huile, le jus d'orange et le poivre à feu doux. Versez sur les olives jusqu'à 1 cm du bord du bocal. Fermez le bocal quand il est encore chaud.

Par olive lipides 2,9 g ; 33 kcal

Conservation

Cette recette se conserve jusqu'à 3 semaines au réfrigérateur.

L'astuce du chef

Avant de servir, laissez le bocal à température ambiante quelques minutes.

Tapenade

Pour 700 g environ.

PRÉPARATION 15 MINUTES

4 gousses d'ail, pilées
480 g d'olives noires, dénoyautées
5 filets d'anchois, égouttés
40 g de persil frais, haché grossièrement
1 c. s. d'origan frais, grossièrement haché
1 c. s. de câpres, égouttées
250 ml d'huile d'olive

1 Mixez l'ail, les olives, les anchois, le persil, l'origan et les câpres jusqu'à obtention d'une pâte épaisse.
2 Versez l'huile en filet en battant la préparation à la fourchette, jusqu'à obtention d'un mélange onctueux. Transférez cette pâte dans un bocal chaud stérilisé. Versez une fine couche d'huile sur la tapenade et fermez le bocal.

Par portion lipides 8,3 g ; 84 kcal

CONSERVATION

La tapenade se conserve jusqu'à 3 semaines au réfrigérateur.

Olives noires à l'ail et aux piments

Pour 750 g.

PRÉPARATION 10 MINUTES • CUISSON 5 MINUTES

750 g d'olives noires, égouttées
500 ml d'huile d'olive
80 ml de vinaigre balsamique
6 petits piments rouges séchés
4 gousses d'ail, coupées en deux
le zeste de 3 citrons, détaillé en lanières

1 Mettez les olives dans un bocal stérilisé chaud (contenance 1,25 litre).
2 Faites chauffer à feu doux tous les ingrédients restants dans une casserole, sans les laisser bouillir, puis versez sur les olives jusqu'à 1 cm du bord du bocal. Fermez le bocal quand il est encore chaud.

Par portion lipides 2,5 g ; 35 kcal

CONSERVATION

Cette recette se prépare 3 jours à l'avance et elle peut être conservée 3 semaines au réfrigérateur.

Les olives

Les soupes

Les soupes italiennes sont très saines car elles contiennent beaucoup de légumes et des produits frais. Vous pouvez les associer avec une salade verte pour un repas léger. Ajoutez une pincée d'herbes aromatiques et de parmesan au moment de servir.

Soupe au parmesan

Pour 6 personnes.

PRÉPARATION 5 MINUTES • CUISSON 10 MINUTES

Cette soupe est appelée stracciatella en italien, terme qui signifie littéralement « vieille guenille ».
Elle tient son nom de l'aspect qu'elle prend une fois qu'on a incorporé le parmesan et les œufs au bouillon chaud.

5 œufs
40 g de parmesan, finement râpé
1,5 l de bouillon de volaille
2 c. s. de persil plat, finement haché
1 pincée de noix de muscade

1 Mettez les œufs et le parmesan dans un récpient et battez-les légèrement avec un fouet jusqu'à obtenir un mélange homogène.

2 Portez le bouillon à ébullition dans une grande casserole. Retirez du feu et incorporez délicatement les œufs, sans cesser de fouetter.

3 Replacez le tout sur le feu et, sans cesser de remuer, faites cuire à feu doux 5 minutes environ jusqu'à ce que les œufs forme des petits lambeaux. Ajoutez le persil et la noix de muscade.

Par portion lipides 6,9 g ; 145 kcal

Suggestion Servez avec du pain de campagne très frais.

Soupe de homard à la gremolata

Pour 6 personnes.

PRÉPARATION 30 MINUTES • CUISSON 1 H 20 MINUTES

La gremolata est un mélange à base de persil, d'ail et de citron qui accompagne traditionnellement l'osso-buco. Elle s'associe très bien à tous les plats à la tomate.

2 kg d'arêtes de poisson
1 oignon moyen, haché grossièrement
1 carotte moyenne, coupée en gros dés
2 branches de céleri, sans les feuilles, coupées en gros dés
4 l d'eau
8 grains de poivre noir
2 feuilles de laurier
1 c. s. d'huile d'olive
1 oignon moyen supplémentaire, haché grossièrement
2 gousses d'ail, pilées
5 tomates moyennes, hachées
3 c. c. de sucre
400 g de tomates en conserve concassées
60 g de concentré de tomate
125 ml de vin blanc sec
2 queues de homard cru, décortiquées et coupées en gros dés
400 g de filets de poisson blanc à la chair ferme, hachés grossièrement

Gremolata

1 gousse d'ail, finement hachée
1 c. s. de zeste de citron, finement haché
2 c. s. de persil plat, finement haché

1 Mettez les arêtes de poisson, l'oignon, la carotte, le céleri, l'eau, les grains de poivre et les feuilles de laurier dans une grande casserole. Faites cuire à feu doux, sans couvrir, 20 minutes environ. Filtrez le bouillon dans un grand saladier, jetez les arêtes et les légumes.

2 Faites chauffer l'huile dans une grande casserole, puis faites revenir l'oignon supplémentaire et l'ail, en remuant, jusqu'à ce que l'oignon soit tendre. Ajoutez les tomates et le sucre, remuez et poursuivez la cuisson 10 minutes environ. Incorporez les tomates en boîte, le concentré de tomate et le vin. Portez à ébullition, puis faites cuire à feu doux, sans couvrir, 5 minutes environ, jusqu'à ce que le mélange épaississe. Ajoutez le bouillon. Portez à ébullition, puis laissez cuire à feu doux pendant 20 minutes. Laissez refroidir 10 minutes.

3 Mixez le mélange et portez à ébullition. Ajoutez le homard et le poisson. Faites cuire à feu doux 5 minutes environ. Le homard doit être à peine cuit.

4 Répartissez la soupe dans les assiettes et saupoudrez de gremolata.

Gremolata Mélangez tous les ingrédients dans un petit bol.

Par portion lipides 6,6 g ; 294 kcal

L'ASTUCE DU CHEF

Vous pouvez remplacer le homard par des crevettes, du crabe ou des langoustines. Adaptez le temps de cuisson en conséquence.

Soupe de roquette à la pancetta

Pour 6 personnes.

PRÉPARATION 20 MINUTES • CUISSON 35 MINUTES

100 g de pancetta, coupée en fines tranches
1 c. s. d'huile d'olive
1 oignon rouge moyen, haché grossièrement
2 gousses d'ail, coupées en quatre
2 c. s. de vinaigre balsamique
4 pommes de terre moyennes, coupées en gros dés
750 ml de bouillon de volaille
750 ml d'eau
500 g de roquette
20 g de parmesan, finement râpé

1 Préchauffez le four à 180 °C.

2 Disposez les tranches de pancetta en une seule couche sur une plaque de cuisson. Faites-les griller au four, sans couvrir, 15 minutes environ, jusqu'à ce qu'elles soient croustillantes. Égouttez-les sur du papier absorbant, puis hachez-les grossièrement.

3 Faites chauffer l'huile dans une grande casserole, puis faites revenir l'oignon et l'ail en remuant. Ajoutez le vinaigre balsamique et les pommes de terre. Laissez cuire pendant 5 minutes.

4 Ajoutez le bouillon et l'eau. Portez à ébullition, puis faites cuire à feu doux 15 minutes environ. Incorporez la roquette et mélangez. Laissez cuire encore 2 minutes environ.

5 Mixez rapidement la soupe, puis répartissez-la dans les bols de service. Saupoudrez de parmesan râpé et de pancetta grillée.

Par portion lipides 7 g ; 204 kcal

Soupe toscane aux haricots

Pour 4 personnes.

TREMPAGE 12 HEURES • PRÉPARATION 25 MINUTES • CUISSON 1 H 40

300 g de haricots blancs secs
1 c. s. d' huile d'olive
1 oignon brun, grossièrement haché
2 gousses d'ail, pilées
2 branches de céleri, parées et émincées
1 carotte, coupée en rondelles
2 tranches de bacon, grossièrement hachées
4 grosses tomates, pelées et coupées en gros morceaux
1,5 l de bouillon de légumes
1 c. c. de sucre
4 c. s. de persil frais, haché
70 g de concentré de tomate

1 Faites tremper les haricots dans l'eau froide et laissez-les reposer toute une nuit.
2 Faites chauffer l'huile dans une sauteuse et faites revenir l'oignon, l'ail, le céleri, la carotte et le bacon, en remuant régulièrement.
3 Ajoutez les tomates et poursuivez la cuisson, sans cesser de remuer.
4 Quand les tomates sont tendres, ajoutez les haricots (après les avoir rincées), le bouillon, le sucre, le persil et le concentré de tomate. Portez à ébullition, puis laissez mijoter 1 heure 30, jusqu'à ce que les haricots soient cuits.

Par portion lipides 16,8 g ; 732 kcal

Minestrone

Pour 6 personnes.

TREMPAGE 12 HEURES • PRÉPARATION 25 MINUTES • CUISSON 2 H 10

100 g de gros haricots blancs secs
2 c. s. d'huile d'olive
1 oignon brun, émincé
2 gousses d'ail, pilées
150 g de tranches de prosciutto, hachées grossièrement
1 branche de céleri, parée et émincée
1 carotte, coupée en rondelles
1 courgette, coupée en rondelles
1,5 l de bouillon de légumes
800 g de tomates entières en conserve
1 pomme de terre, coupée en petits dés
170 g de pâtes ditalini
80 g de chou vert, émincé
80 g d'épinards, finement hachés
1 c. s. de basilic, finement haché
40 g de parmesan, râpé

1 Faites tremper les haricots dans l'eau froide et laissez-les reposer toute une nuit.
2 Faites chauffer l'huile dans une sauteuse et faites revenir l'oignon et l'ail. Ajoutez le prosciutto, le céleri, la carotte et la courgette. Poursuivez la cuisson 5 minutes, jusqu'à ce que les légumes soient tendres. Incorporez le bouillon et les tomates avec leur jus. Portez à ébullition, puis laissez mijoter 30 minutes sans couvrir.
3 Ajoutez les haricots et la pomme de terre et laissez mijoter 1 h 30 sans couvrir. Faites cuire enfin les pâtes et le chou 10 minutes dans la soupe.
4 Au moment de servir, ajoutez les épinards et le basilic, puis saupoudrez de parmesan.

Par portion lipides 8,7 g ; 352 kcal

LES ASTUCES DU CHEF

• Vous pouvez remplacer les ditalini par des macaronis ou n'importe quelles petites pâtes courtes.

• Cette soupe sera plus savoureuse si vous la préparez la veille. Dans ce cas, réchauffez-la et ajoutez les pâtes au dernier moment.

• Vous pouvez ajouter 1 cuillerée de sauce au pistou dans le minestrone.

Soupe de lentilles

Pour 6 personnes.

PRÉPARATION 15 MINUTES • CUISSON 1 H 25 MINUTES

60 ml d'huile d'olive
1 gros oignon, haché grossièrement
1 aubergine moyenne, coupée en quatre
4 tomates moyennes, coupées en quatre
1 gros poivron rouge, coupé en quatre
3 gousses d'ail, pelées
2 l de bouillon de légumes
200 g de lentilles brunes ou de lentilles vertes du Puy
125 ml de crème aigre
2 c. s. de ciboulette fraîche, finement hachée

1 Préchauffez le four à 200 °C.

2 Mélangez dans un plat à gratin l'huile, l'oignon, l'aubergine, les tomates, le poivron et l'ail. Faites griller à four chaud 45 minutes environ. Retournez les légumes une fois au cours de la cuisson.

3 Disposez les tranches de poivron dans un plat, couvrez-les et laissez-les reposer 5 minutes. Pelez-les, puis coupez la chair en gros dés. Procédez de même avec les tomates et l'aubergine.

4 Mixer l'aubergine avec l'ail et l'oignon pour obtenir une purée. Versez la purée dans une casserole, puis ajoutez le bouillon et les lentilles. Portez à ébullition, puis laissez cuire à feu doux 35 minutes environ.

5 Ajoutez le poivron et les tomates. Remuez sur le feu jusqu'à ce que la soupe soit bien chaude. Répartissez-la dans les bols. Garnissez d'une cuillère de crème aigre et saupoudrez de ciboulette.

Par portion lipides 19,2 g ; 337 kcal

Suggestion Servez avec des tranches de pain frottées d'ail.

Pain aux olives

Pour 10 personnes.

PRÉPARATION 25 MINUTES • CUISSON 45 MINUTES

1 c. s. de levure de boulanger
1 c. c. de sucre
560 ml de lait écrémé
825 g de farine
80 ml d'huile d'olive
150 g d'olives noires, dénoyautées et coupées en deux
2 c. s. d'origan frais, haché

1 Mélangez la levure, le sucre et le lait écrémé dans un récipient. Incorporez 450 g de la farine. Couvrez et laissez reposer dans un endroit chaud jusqu'à ce que la préparation devienne mousseuse. Versez l'huile d'olive et le reste de farine. Sur un plan de travail fariné, travaillez la pâte pendant 10 minutes pour la rendre élastique, puis mettez-la dans un récipient huilé. Couvrez et laissez reposer dans un endroit frais. La pâte doit doubler de volume.

2 Pendant ce temps, égouttez les olives sur du papier absorbant. Préchauffez le four à 180 °C.

3 Retournez la pâte sur un plan de travail fariné et parsemez d'olives et d'origan. Façonnez la pâte en un pain ovale de 30 cm de long environ et pliez-le en deux. Posez le pain sur une plaque de cuisson et farinez-le légèrement.

4 Faites cuire 45 minutes au four. Pour savoir si le pain est cuit, enfoncez la lame d'un couteau au centre : elle doit ressortir propre. Laissez refroidir avant de servir.

Par portion lipides 8,5 g ; 390 kcal

Pagnotta

Pour 6 personnes.

PRÉPARATION 25 MINUTES • CUISSON 40 MINUTES

2 c. s. de levure de boulanger
1/2 c. c. de sucre
2 c. s. de sel
525 g de farine
310 ml de lait écrémé, chaud
1 c. s. d'huile d'olive

1 Mélangez la levure, le sucre, le sel et la farine dans un récipient. Versez graduellement le lait chaud et la moitié de l'huile d'olive en mélangeant bien, jusqu'à obtention d'une préparation homogène.

2 Sur un plan de travail fariné, pétrissez la pâte pendant 2 minutes, puis mettez-la dans un récipient huilé. Couvrez et laissez reposer dans un endroit chaud. La pâte doit doubler de volume.

3 Travaillez la pâte 10 minutes sur une surface farinée pour la rendre élastique. Façonnez un pain long et étroit et disposez-le sur une plaque de cuisson légèrement graissée. Mélangez le reste d'huile et 2 cuillerées à soupe d'eau chaude et badigeonnez-en le pain, puis saupoudrez-le de farine.

4 Commencez la cuisson dans le four froid en réglant le thermostat sur 180 °C, puis laissez cuire le pain 40 minutes. Pour savoir si le pain est cuit, enfoncez la lame d'un couteau au centre : elle doit ressortir propre. Laissez refroidir avant de servir.

Par portion lipides 4,2 g ; 351 kcal

Fougasse aux oignons

Pour 8 personnes.

PRÉPARATION 20 MINUTES • CUISSON 25 MINUTES

375 g de farine
2 c. c. de levure de boulanger
20 g de parmesan, râpé
2 c. s. de sauge fraîche, grossièrement hachée
3 c. c. de sel
250 ml d'eau, chaude
60 ml d'huile d'olive
1 oignon blanc, émincé

1 Mélangez la farine, la levure, le parmesan, la sauge et 1 cuillerée à café de sel dans un récipient. Versez l'eau et 2 cuillerées à soupe d'huile, mélangez bien, puis travaillez la pâte sur une surface farinée pendant 10 minutes pour la rendre élastique.

2 Étalez la pâte en un disque épais sur une plaque de cuisson légèrement graissée. Couvrez et laissez reposer dans un endroit chaud jusqu'à ce que la pâte ait doublé de volume.

3 Pendant ce temps, mélangez l'oignon avec le sel et l'huile restants dans un récipient. Saupoudrez-en la pâte et faites cuire 25 minutes à four chaud (210 °C). Pour savoir si la fougasse est cuite, enfoncez la lame d'un couteau au centre : elle doit ressortir propre. Laissez refroidir avant de servir.

Par portion lipides 8,2 g ; 238 kcal

Gressins au fromage

Pour 40 pièces.

PRÉPARATION 30 MINUTES • CUISSON 10 MINUTES

60 g de beurre ramolli
1 c. c. de levure de boulanger
2 c. s. d'huile d'olive
2 c. c. de sucre
1/2 c. c. de sel
100 g de parmesan, râpé
180 ml d'eau, chaude
375 g de farine

1 Mélangez le beurre, la levure, l'huile, le sucre, le sel, le parmesan et l'eau dans un récipient et ajoutez progressivement la farine. Travaillez la pâte 10 minutes sur une surface plate farinée pour la rendre élastique. Enduisez-la légèrement d'huile et laissez-la reposer 10 minutes à couvert dans un saladier.

2 Préchauffez le four à 200 °C. Façonnez 40 gressins de 20 cm de long et disposez-les sur une plaque de cuisson huilée.

3 Faites cuire 20 minutes au four, jusqu'à ce que les bâtonnets soient dorés et croustillants. Laissez refroidir avant de servir.

Par portion lipides 3,1 g ; 63 kcal

CONSERVATION

Vous pouvez conserver ces gressins jusqu'à 2 semaines dans un récipient hermétique.

Les pains à l'italienne

Les pâtes

En Italie, il y a presque autant de formes de pâtes que de façons de les accommoder. Combinez-les avec une sauce légère ou une préparation plus consistante. Saines et très nourrissantes, les pâtes sont faciles à préparer et plaisent autant aux adultes qu'aux enfants.

Pappardelle aux tomates séchées et au piment

Pour 6 personnes.

PRÉPARATION 15 MINUTES • CUISSON 25 MINUTES

2 oignons moyens, hachés grossièrement
2 gousses d'ail, coupées en quatre
150 g de tomates séchées à l'huile, égouttées
70 g de purée de tomates
2 piments rouges, épépinés et finement hachés
500 ml de bouillon de poule
375 g de pappardelle
2 c. c. de persil plat frais, haché grossièrement
parmesan, râpé ou en copeaux

1 Mixez les oignons, l'ail, les tomates, la purée de tomates et les piments.
2 Faites chauffer une grande poêle antiadhésive et faites revenir cette préparation pendant 10 minutes, en remuant sans cesse. Ajoutez le bouillon et portez à ébullition. Réduisez le feu et laissez mijoter 10 minutes environ, jusqu'à épaississement.
3 Faites cuire les pâtes dans une grande casserole d'eau bouillante salée, jusqu'à ce qu'elles soient *al dente*. Égouttez.
4 Au moment de servir, mélangez délicatement les pâtes avec la sauce et saupoudrez de persil. Servez avec du parmesan.

Par portion lipides 2,9 g ; 274 kcal

Les astuces du chef

- Vous pouvez remplacer les pappardelle (larges rubans) par d'autres variétés de pâtes longues (fettucine ou tagliatelles).
- Cette sauce est meilleure si elle est préparée la veille et conservée au frais.

Spaghettis aux fruits de mer

Pour 4 personnes.

PRÉPARATION 5 MINUTES • CUISSON 25 MINUTES

1 c. s. d'huile d'olive
1 oignon moyen, émincé
80 ml de vin blanc sec
95 g de concentré de tomate
850 g de tomates entières en conserve
750 g de mélange de fruits de mer
375 g de spaghettis
60 g de persil plat, haché grossièrement

1 Faites chauffer l'huile dans une grande poêle et faites revenir l'oignon en remuant constamment
2 Versez le vin, le concentré de tomate, les tomates avec leur jus et portez à ébullition. Baissez le feu, puis laissez mijoter 10 minutes sans couvrir, jusqu'à ce que la sauce épaississe légèrement.
3 Ajoutez les fruits de mer et prolongez la cuisson pendant 5 minutes, en remuant régulièrement.
4 Faites cuire les pâtes dans un grand volume d'eau bouillante salée, jusqu'à ce qu'elles soient *al dente* ; égouttez-les.
5 Nappez les pâtes de sauce aux fruits de mer, décorez de persil haché et servez aussitôt.

Par portion lipides 10,7 g ; 462 kcal

Lasagnes à la viande

Pour 6 personnes.

PRÉPARATION 40 MINUTES • CUISSON 2 H 10

1 c. s. d'huile d'olive
1 oignon brun, émincé
1 carotte, coupée en rondelles
1 branche de céleri, parée et émincée
2 gousses d'ail, pilées
500 g de bœuf haché
80 ml de vin blanc sec
850 g de tomates entières en conserve
2 c. s. de concentré de tomate
125 ml d'eau
4 tranches de prosciutto, finement hachées
1 c. s. d'origan frais, haché grossièrement
2 c. s. de persil frais, haché grossièrement
18 feuilles de lasagnes précuites
40 g de parmesan, râpé

Sauce au fromage

60 g de beurre
50 g de farine
1 l de lait
60 g de parmesan, râpé
1 pincée de noix de muscade

1 Faites chauffer l'huile dans une sauteuse et faites revenir l'oignon, la carotte, le céleri et l'ail. Ajoutez la viande hachée et laissez cuire jusqu'à coloration, en l'écrasant avec une cuillère en bois. Versez le vin et portez à ébullition. Incorporez les tomates avec leur jus, le concentré de tomate et l'eau, puis baissez le feu. Laissez mijoter 1 heure, jusqu'à épaississement, puis ajoutez le prosciutto et les herbes. Laissez refroidir.

2 Étalez 6 feuilles de lasagnes dans un plat à gratin légèrement graissé et nappez-les avec la moitié de la sauce à la viande. Versez dessus un quart de la sauce au fromage. Répétez une fois l'opération.

3 Terminez par une couche de lasagnes nappée avec le reste de la sauce au fromage. Saupoudrez de parmesan râpé et faites cuire 1 heure au four, jusqu'à ce que les lasagnes soient tendres et dorées.

Sauce au fromage Faites chauffer le beurre dans une casserole et ajoutez la farine en remuant, jusqu'à épaississement. Retirez du feu et versez progressivement le lait, sans cesser de remuer. Remettez sur le feu jusqu'à épaississement. Ajoutez le fromage râpé et la noix de muscade, puis laissez refroidir 10 minutes.

Par portion lipides 32,4 g ; 701 kcal

Tortellini au fromage et aux épinards, sauce au gorgonzola

Pour 4 personnes.

PRÉPARATION 5 MINUTES • CUISSON 15 MINUTES

Le gorgonzola est un fromage de vache persillé originaire du nord de l'Italie. Très crémeux, il est utilisé aussi bien dans les sauces pour les pâtes que dans les salades et les hors-d'œuvre. On peut le remplacer par du roquefort, mais ce dernier n'a pas cette saveur à la fois douce et piquante qui caractérise le gorgonzola.

30 g de beurre
2 c. s. de farine
250 ml de lait
180 ml de crème fraîche
100 g de gorgonzola, coupé grossièrement
750 g de tortellini aux épinards et au fromage
40 g de persil plat

1. Faites fondre le beurre dans une casserole moyenne, ajoutez la farine et laissez cuire 2 minutes en remuant sans cesse, jusqu'à épaississement.
2. Incorporez progressivement le lait et la crème, et portez à ébullition. Baissez le feu et laissez mijoter jusqu'à épaississement. Retirez du feu et ajoutez le gorgonzola.
3. Pendant ce temps, faites cuire les pâtes dans un grand volume d'eau bouillante salée, puis égouttez-les.
4. Mélangez-les aussitôt avec la sauce dans un plat préchauffé, remuez délicatement, saupoudrez de persil et servez.

Par portion lipides 43,8 g ; 722 kcal

L'ASTUCE DU CHEF

On peut remplacer les tortellini par des raviolis ou des gnocchis. Choisissez de préférence des pâtes farcies à la ricotta et aux épinards, car la sauce au gorgonzola se marie mal avec les pâtes à la viande.

Rigatoni à la sauce d'aubergine

Pour 4 personnes.

PRÉPARATION 10 MINUTES • CUISSON 20 MINUTES

60 ml d'huile d'olive
1 oignon moyen, émincé
2 branches de céleri, parées et coupées finement
1 gousse d'ail, pilée
2 c. s. de cognac
1 aubergine moyenne, en tranches fines
600 ml de sauce tomate
140 g de concentré de tomate
125 ml d'eau
375 g de rigatoni
20 g de parmesan, finement râpé

1 Faites chauffer l'huile dans une grande casserole et faites revenir l'oignon, le céleri et l'ail en remuant bien. Ajoutez le cognac et prolongez la cuisson, sans cesser de remuer, jusqu'à évaporation de l'alcool. Ajoutez l'aubergine et laissez-la cuire jusqu'à ce qu'elle soit tendre.

2 Incorporez la sauce tomate, le concentré de tomate et l'eau. Portez le tout à ébullition. Baissez le feu et laissez mijoter 10 minutes environ, jusqu'à ce que la sauce épaississe légèrement.

3 Pendant ce temps, faites cuire les pâtes dans un grand volume d'eau bouillante salée, jusqu'à ce qu'elles soient *al dente* ; égouttez-les. Mettez-les dans un grand plat avec la moitié de la sauce et remuez délicatement. Répartissez sur des assiettes chaudes, nappez de sauce et proposez le fromage à part.

Par portion lipides 16,9 g ; 578 kcal

Spaghettis à la ricotta

Pour 4 personnes.

PRÉPARATION 10 MINUTES • CUISSON 15 MINUTES

500 g de spaghettis
450 g de ricotta fraîche
3 jaunes d'œufs
180 ml de lait
80 g de persil plat, haché grossièrement
60 g de basilic, haché grossièrement
3 oignons verts, émincés
2 gousses d'ail, pilées
20 g de pepato, finement râpé

1 Faites cuire les pâtes dans un grand volume d'eau bouillante salée, jusqu'à ce qu'elles soient *al dente* ; égouttez-les.
2 Mélangez la ricotta, les jaunes d'œufs et le lait dans un grand plat jusqu'à obtention d'une préparation homogène ; ajoutez les herbes, l'oignon, l'ail et le fromage.
3 Versez les pâtes dans ce mélange et remuez délicatement.

Par portion lipides 21,7 g ; 684 kcal

L'ASTUCE DU CHEF

Vous pouvez remplacer le pepato (variété de pecorino au poivre noir) par un autre fromage à pâte dure, du pecorino romano ou un vieux provolone (fromage à pâte filée, à base de lait de vache ou de bufflonne). Vous pouvez également utiliser de l'origan à la place du basilic.

Fettucine alla carbonara

Pour 4 personnes.

PRÉPARATION 10 MINUTES • CUISSON 10 MINUTES

Ce grand classique des sauces italiennes était préparé à l'origine par les charbonniers italiens, d'où son nom. Sans doute l'appréciaient-ils tout particulièrement pour sa grande simplicité, cette recette étant réalisable en un tour de main sur le feu en pleine forêt.

4 tranches de jambon cru, coupées grossièrement
375 g de fettucine
3 jaunes d'œufs, battus légèrement
250 ml de crème fraîche
30 g de parmesan, finement râpé
2 c. s. de ciboulette fraîche, coupée grossièrement

1 Faites revenir le jambon cru dans une petite poêle préchauffée en remuant jusqu'à ce qu'il soit croustillant ; égouttez-le sur du papier absorbant.
2 Au moment de servir, faites cuire les pâtes dans un grand volume d'eau bouillante salée, jusqu'à ce qu'elles soient *al dente* ; égouttez-les.
3 Dans un grand plat préchauffé, mélangez les pâtes, les jaunes d'œufs battus, la crème et le fromage ; garnissez de ciboulette.

Par portion lipides 34,2 g ; 660 kcal

L'ASTUCE DU CHEF

Pour varier les plaisirs, vous pouvez remplacer le parmesan par du pecorino romano ou du pepato (variété de pecorino au poivre noir) râpé.

Tagliatelles à la viande

Pour 2 personnes.

PRÉPARATION 15 MINUTES • CUISSON 45 MINUTES

250 g de bœuf haché, maigre
35 g de chapelure
1 c. s. de persil frais, finement ciselé
1 c. s. de ciboulette fraîche, finement ciselée
1 blanc d'œuf
1 c. c. de sauce Worcester
1 c. c. d'huile de tournesol
250 g de tagliatelles

Sauce au romarin et paprika

410 g de tomates en conserve
250 ml d'eau
2 c. s. de vin rouge sec
1 oignon, finement haché
1/2 c. c. de sauce Worcester
1 c. c. de paprika
3 brins de romarin

1 Mélangez la viande hachée, la chapelure, le persil, la ciboulette, le blanc d'œuf et la sauce Worcester. Formez des boulettes.
2 Dans une poêle antiadhésive, faites chauffer l'huile et faites rissoler les boulettes. Épongez avec du papier essuie-tout.
3 Faites cuire les pâtes jusqu'à ce quelles soient *al dente*, puis égouttez-les.
4 Ajoutez les boulettes dans la sauce et remuez sur le feu, jusqu'à ce quelles soient chaudes. Servez avec les pâtes et une salade verte.

Sauce au romarin et paprika Dans une grande poêle, écrasez les tomates avec leur jus, puis ajoutez le reste des ingrédients et mélangez. Portez à ébullition. Laissez mijoter à découvert 20 minutes jusqu'à épaississement. Retirez le romarin.

Par portion lipides 14,5 g ; 881 kcal

Cannelloni au poulet

Pour 8 personnes.

PRÉPARATION 30 MINUTES • CUISSON 1 H 10

50 g de beurre
35 g de farine
160 ml de lait
375 ml de bouillon de poule dégraissé
40 g de parmesan, finement râpé
400 g de fontina, râpé grossièrement
1 c. s. d'huile d'olive
2 oignons bruns, grossièrement hachés
3 gousses d'ail, pilées
1 kg de blancs de poulet, émincés
2 c. s. de sauge fraîche, finement hachée
850 g de tomates entières en conserve
125 ml de vin blanc sec
70 g de concentré de tomate
3 c. c. de sucre
12 feuilles de lasagnes fraîches
360 g de prosciutto

1 Faites chauffer le beurre dans une casserole et ajoutez la farine en pluie, en remuant sans cesse, jusqu'à épaississement. Retirez du feu et versez progressivement le lait et le bouillon, sans cesser de remuer. Laissez épaissir sur le feu, puis incorporez le parmesan et un quart de la fontina. Retirez du feu et laissez reposer.

2 Faites chauffer l'huile dans une poêle et faites revenir l'oignon et l'ail. Ajoutez les blancs de poulet et laissez cuire jusqu'à coloration, puis incorporez la sauge. Mélangez le poulet et la sauce au fromage dans un récipient et laissez refroidir.

3 Ajoutez dans la poêle les tomates avec leur jus, le vin, le concentré de tomate et le sucre. Laissez cuire 10 minutes à feu moyen. Faites tiédir quelques minutes, puis mixez la préparation en plusieurs fois jusqu'à obtention d'une sauce onctueuse.

4 Coupez les feuilles de lasagnes et le prosciutto en deux triangles. Posez 2 tranches de prosciutto sur chaque triangle de lasagne. Nappez de préparation au poulet, puis roulez la feuille de lasagne pour enfermer la garniture. Préchauffez le four à 180 °C.

5 Versez la moitié de la sauce tomate dans un grand plat à gratin, ajoutez les cannelloni et nappez avec le reste de sauce tomate. Parsemez le reste de fontina sur la sauce.

6 Couvrez et faites cuire 30 minutes au four, puis laissez gratiner 15 minutes sans couvrir. Servez avec une salade verte.

Par portion lipides 40,3 g ; 717 kcal

Farfalle au saumon

Pour 4 personnes.

PRÉPARATION 10 MINUTES • CUISSON 15 MINUTES

375 g de farfalle
1 citron
415 g de saumon en conserve, égoutté et émietté
125 ml de crème fraîche
4 oignons verts, émincés

1 Faites cuire les pâtes dans un grand volume d'eau bouillante salée, jusqu'à ce qu'elles soient *al dente*, puis égouttez-les.

2 Prélevez le zeste du citron et émincez-le. Mélangez le zeste de citron, le saumon, les pâtes, la crème et les oignons dans une casserole. Réchauffez à feu doux en remuant délicatement et servez aussitôt.

Par portion lipides 24,7 g ; 603 kcal

Fusilli aux légumes

Pour 4 personnes.

PRÉPARATION 15 MINUTES • CUISSON 45 MINUTES

375 g de fusilli
1 c. s. d'huile d'olive
1 oignon brun, émincé
3 gousses d'ail, pilées
2 courgettes jaunes, coupées en morceaux
1 poivron rouge, émincé
200 g de haricots mange-tout
1 carotte, détaillée en rubans
300 ml de crème fraîche
1 c. s. de graines de moutarde
2 c. s. de persil plat, haché

1 Faites cuire les pâtes dans un grand volume d'eau bouillante salée, jusqu'à ce qu'elles soient *al dente*, puis égouttez-les.

2 Pendant ce temps, faites chauffer l'huile dans une sauteuse et faites revenir l'oignon et l'ail. Ajoutez les courgettes et poursuivez la cuisson jusqu'à ce qu'elles soient juste tendres. Incorporez enfin le poivron, les haricots et la carotte et laissez cuire 10 minutes à feu moyen.

3 Mélangez les pâtes et les légumes dans un plat de service, ajoutez la crème, les graines de moutarde et le persil, remuez délicatement et servez aussitôt.

Par portion lipides 38,9 g ; 725 kcal

Spaghetti puttanesca

Pour 4 personnes.

PRÉPARATION 15 MINUTES • CUISSON 20 MINUTES

60 ml d'huile d'olive
2 gousses d'ail, pilées
4 tomates bien mûres, coupées en gros morceaux
3 c s. de persil frais, finement haché
12 olives farcies, émincées
45 g de filets d'anchois en saumure, finement hachés
1 c. s. de basilic frais, finement haché
1 pincée de piment en poudre
375 g de spaghettis

1 Faites chauffer l'huile dans une sauteuse et faites cuire l'ail jusqu'à coloration.
2 Ajoutez les tomates, le persil, les olives, les anchois, le basilic et le piment. Poursuivez la cuisson 3 minutes.
3 Pendant ce temps, faites cuire les pâtes dans un grand volume d'eau bouillante salée, jusqu'à ce qu'elles soient *al dente*, puis égouttez-les et mettez-les dans un plat de service chaud.
4 Versez la sauce sur les pâtes, mélangez délicatement et servez aussitôt.

Par portion lipides 16,9 g ; 491 kcal

Pâtes au pesto

Pour 4 personnes.

PRÉPARATION 20 MINUTES • CUISSON 10 MINUTES

350 g de basilic frais
2 gousses d'ail, pelées
50 g de pignons de pin, grillés
180 ml d'huile d'olive
50 g de parmesan, râpé
500 g de pâtes longues

1 Prélevez les feuilles du basilic et jetez les tiges. Rincez soigneusement les feuilles à l'eau froide, égouttez-les et essuyez-les avec du papier absorbant.

2 Mixez les feuilles de basilic, l'ail et les pignons avec un peu d'huile. Quand les ingrédients forment une purée, ajoutez petit à petit le reste de l'huile d'olive sans cesser de mixer.

3 Arrêtez le mixeur ; à l'aide d'une spatule souple, remettez la pâte de basilic au fond du récipient. Recommencez à mixer en répétant cette opération plusieurs fois, jusqu'à obtention d'un mélange lisse. Ajoutez le parmesan au moment de servir.

4 Faites cuire les pâtes dans une grande casserole d'eau bouillante, jusqu'à ce qu'elles soient *al dente* ; égouttez-les. Versez le pesto sur les pâtes chaudes ; mélangez délicatement. Servez immédiatement.

Par portion lipides 56,7 g ; 951 kcal

Les astuces du chef

• Il vous faut beaucoup de basilic pour cette recette. Si c'est l'été, la saison du basilic, pourquoi ne pas doubler ou quadrupler les proportions des ingrédients et congeler la sauce en portions de soleil pour l'hiver ?

• Cette recette exige une huile d'olive de première qualité.

• Vous ajouterez le parmesan au dernier moment, même si vous préparez le pesto à l'avance.

• Cette sauce se marie bien avec la texture poreuse des fettucine ou toutes autres pâtes « en ruban ».

Lasagnes à l'oseille

Pour 4 personnes.

PRÉPARATION 15 MINUTES • CUISSON 1 H 05

1 kg d'oseille, parée
3 œufs, battus légèrement
400 g de ricotta
20 g de parmesan, râpé grossièrement
3 oignons verts, émincés
375 ml de sauce tomate
12 feuilles de lasagnes précuites
120 g de cheddar, râpé grossièrement

1 Faites cuire l'oseille à la vapeur, puis égouttez-la. Pressez bien les feuilles pour éliminer le plus de liquide possible, puis hachez-les grossièrement. Mélangez les œufs, la ricotta, le parmesan et les oignons dans un récipient. Ajoutez l'oseille et mélangez bien.

2 Étalez la moitié de la sauce tomate dans un plat à gratin. Recouvrez avec 3 feuilles de lasagnes et nappez-les d'un tiers de la préparation à base d'oseille. Recommencez l'opération deux fois. Terminez par une couche de lasagnes, nappez de sauce tomate, puis saupoudrez de cheddar. Préchauffez le four à 180 °C.

3 Couvrez le plat de papier d'aluminium et faites cuire les lasagnes 40 minutes au four. Retirez la feuille d'aluminium et faites gratiner 20 minutes. Laissez reposer 5 minutes et servez.

Par portion lipides 28,4 g ; 572 kcal

Fettuccine aux champignons et au jambon

Pour 4 personnes.

PRÉPARATION 10 MINUTES • CUISSON 20 MINUTES

2 c. c. d'huile d'olive
200 g de champignons de Paris, émincés
2 gousses d'ail, pilées
200 g de tranches de jambon blanc, coupées en lanières
60 ml de vin blanc sec
300 g de crème fraîche
500 g de fettuccine
2 c. s. de ciboulette, grossièrement hachée

1 Faites chauffer l'huile dans une sauteuse et faites revenir les champignons, l'ail et le jambon. Ajoutez le vin et laissez frémir, jusqu'à ce que le liquide ait réduit de moitié.

2 Incorporez la crème et baissez le feu. Laissez mijoter jusqu'à épaississement.

3 Pendant ce temps, faites cuire les pâtes dans un grand volume d'eau bouillante salée, jusqu'à ce qu'elles soient *al dente*, puis égouttez-les.

4 Mettez les pâtes dans un plat de service chaud, nappez de sauce et mélangez délicatement. Parsemez de ciboulette et servez aussitôt.

Par portion lipides 32,6 g ; 788 kcal

Raviolis de poulet à l'estragon

Pour 8 personnes.

PRÉPARATION 25 MINUTES • CUISSON 30 MINUTES

750 g de poulet, haché
2 oignons verts, émincés
2 c. c. de zeste de citron, finement râpé
1 œuf, légèrement battu
56 carrés de pâte à raviolis
125 ml d'huile d'olive
1 oignon brun, émincé
2 gousses d'ail, pilées
125 ml de vin blanc sec
1 c. s. de moutarde de Dijon
580 ml de crème fraîche
2 c. s. de feuilles d'estragon, ciselées

1 Mélangez le poulet, les oignons verts et le zeste de citron dans un saladier.
2 Badigeonnez d'œuf les carrés de pâte et garnissez-les de farce à la viande. Fermez les raviolis en pinçant les bords. Disposez-les en une seule couche sur un plateau. Couvrez et réfrigérez 30 minutes.
3 Faites chauffer l'huile dans une casserole et faites revenir l'oignon et l'ail, jusqu'à coloration. Versez le vin et poursuivez la cuisson 5 minutes, jusqu'à ce que le liquide ait réduit de moitié. Ajoutez la moutarde et la crème fraîche, mélangez bien et portez à ébullition.
4 Faites cuire les raviolis dans un grand volume d'eau bouillante jusqu'à ce qu'ils remontent à la surface. Retirez-les de l'eau avec une écumoire, égouttez-les, puis mettez-les dans un plat de service chaud. Nappez de sauce, parsemez d'estragon, mélangez délicatement et servez aussitôt.

Par portion lipides 38,5 g ; 534 kcal

Fettucine sauce Alfredo

Pour 4 personnes.

PRÉPARATION 5 MINUTES • CUISSON 15 MINUTES

90 g de beurre
150 ml de crème fraîche
90 g de parmesan, râpé
375 g de fettucine
1 c. s. de persil frais, ciselé

1 Faites fondre le beurre et la crème dans une poêle. Ajoutez le parmesan ; remuez délicatement jusqu'à obtention d'un mélange homogène.

2 Faites cuire les pâtes dans un grand volume d'eau bouillante salée, puis égouttez-les. Versez la sauce sur les pâtes, décorez de persil frais et servez aussitôt.

Par portion lipides 44,2 g ; 737 kcal

L'ASTUCE DU CHEF

Cette sauce se prépare à la dernière minute.

Spaghettis à la bolognaise

Pour 4 personnes.

PRÉPARATION 15 MINUTES • CUISSON 2 H 25

2 c. s. d'huile d'olive
1 gros oignon, émincé
750 g de bœuf haché
850 g de tomates entières en conserve
95 g de concentré de tomate
1 l d'eau
1 c. s. de basilic frais, en lanières
1 c. s. d'origan frais, coupé finement
2 c. c. de thym, coupé finement
375 g de spaghettis
30 g de parmesan, râpé

1 Faites chauffer l'huile dans une poêle et faites blondir l'oignon. Ajoutez la viande et faites-la cuire jusqu'à ce qu'elle brunisse, en l'écrasant avec une fourchette pour éviter la formation de boulettes.
2 Passez les tomates avec leur jus dans un tamis. Versez la purée obtenue sur la viande, avec le concentré de tomate et l'eau. Portez à ébullition. Baissez le feu et faites cuire à feu très doux pendant 2 heures, sans couvrir, jusqu'à ce que tout le liquide soit évaporé. Retirez du feu et ajoutez les herbes.
3 Faites cuire les pâtes dans un grand volume d'eau bouillante salée, puis égouttez-les.
4 Dressez les pâtes dans des assiettes creuses et nappez de sauce. Saupoudrez de parmesan et servez aussitôt.

Par portion lipides 30 g ; 775 kcal

L'ASTUCE DU CHEF

La véritable sauce bolognaise ne comporte pas d'ail, mais vous pouvez ajouter 2 gousses d'ail pilées lors de l'étape 1, si vous désirez une préparation plus relevée.

Tagliatelles sauce aux champignons

Pour 4 personnes.

PRÉPARATION 10 MINUTES • CUISSON 15 MINUTES

Cette spécialité de la région de Parme porte en italien le joli nom de pagli e fieno *(littéralement « paille et foin »). Elle est préparée avec des tagliatelles nature et des tagliatelles vertes (colorées avec des épinards), qui en font un plat aussi savoureux qu'agréable à regarder.*

2 c. c. d'huile d'olive
2 gousses d'ail, pilées
5 oignons verts, émincés
500 g de champignons de Paris, en tranches épaisses
1 c. s. de vin blanc sec
300 ml de crème fraîche
60 g de persil plat, haché grossièrement
150 g de tagliatelles nature
150 g de tagliatelles aux épinards

1 Faites chauffer l'huile dans une casserole et faites revenir l'ail et l'oignon en remuant sans cesse.

2 Ajoutez les champignons et prolongez la cuisson sans cesser de remuer, jusqu'à coloration. Versez le vin, puis la crème, et portez à ébullition. Baissez le feu et laissez mijoter 5 minutes sans couvrir, jusqu'à ce que la sauce épaississe légèrement. Incorporez le persil.

3 Pendant ce temps, faites cuire les pâtes dans un grand volume d'eau bouillante salée, jusqu'à ce qu'elles soient *al dente* ; égouttez-les. Dressez les tagliatelles dans un grand plat préchauffé, nappez de sauce et remuez délicatement.

Par portion lipides 36 g ; 559 kcal

Penne all'arrabiata

Pour 4 personnes.

PRÉPARATION 10 MINUTES • CUISSON 15 MINUTES

1 c. s. d'huile d'olive
2 oignons moyens, émincés
3 gousses d'ail, pilées
3 piments rouges, émincés
600 ml de sauce tomate
2 c. c. de vinaigre balsamique
375 g de penne
20 g de parmesan, finement râpé

1 Faites chauffer l'huile dans une casserole et faites revenir l'oignon, l'ail et le piment en remuant sans cesse. Ajoutez la sauce tomate et le vinaigre ; portez à ébullition. Baissez le feu et laissez mijoter 5 minutes environ, jusqu'à ce que la sauce épaississe légèrement.

2 Pendant ce temps, faites cuire les pâtes dans un grand volume d'eau bouillante salée, jusqu'à ce qu'elles soient *al dente* ; égouttez-les. Mélangez-les avec la sauce et parsemez de fromage.

Par portion lipides 7,6 g ; 455 kcal

Spaghettis à la napolitaine

Pour 4 personnes.

PRÉPARATION 5 MINUTES • CUISSON 25 MINUTES

2 c. c. d'huile d'olive
3 gousses d'ail, pilées
1 petit oignon, émincé
1,2 kg de tomates concassées en conserve
60 g de basilic frais, haché grossièrement
80 g de persil plat frais, haché grossièrement
375 g de spaghettis

1 Faites chauffer l'huile dans une casserole et faites blondir l'ail et l'oignon en remuant sans cesse.
2 Ajoutez les tomates concassées avec leur jus et portez à ébullition. Baissez le feu et laissez mijoter 20 minutes sans couvrir, jusqu'à ce que le liquide réduise d'un tiers. Ajoutez le basilic et le persil.
3 Pendant ce temps, faites cuire les pâtes dans un grand volume d'eau bouillante salée, jusqu'à ce qu'elles soient *al dente* ; égouttez-les. Nappez de sauce et servez.

Par portion lipides 4 g ; 398 kcal

L'ASTUCE DU CHEF

Si vous réduisez cette sauce de moitié, elle fera une excellente base pour pizza. Agrémentée de câpres, vous obtiendrez une garniture pour des scaloppine de veau ou de poulet.

Bruschette aux poivrons grillés et au proscuitto

Pour 8 personnes.

PRÉPARATION 20 MINUTES • CUISSON 7 MINUTES

1/2 pain ciabatta, en tranches
3 gousses d'ail, coupées en deux
60 ml d'huile d'olive
2 poivrons rouges
5 tranches de prosciutto, coupées en morceaux
1 c. s. de vinaigre balsamique
2 c. s. d'origan frais

1. Faites griller les tranches de ciabatta. Frottez-les aussitôt d'ail sur un seul côté, puis disposez-les en une seule couche sur un plateau et arrosez-les d'huile d'olive.
2. Coupez les poivrons en quatre, puis éliminez les pépins et les membranes blanches. Mettez les poivrons sur la grille du four et faites-les griller jusqu'à ce que la peau noircisse et se boursoufle. Laissez-les refroidir 5 minutes dans un récipient fermé, puis pelez-les. Détaillez-les en fines lanières.
3. Faites dorer le prosciutto dans une poêle antiadhésive jusqu'à ce qu'il soit croustillant. Ajoutez les poivrons et le vinaigre, remuez bien et laissez reposer à température ambiante.
4. Au moment de servir, garnissez chaque tranche de pain de préparation aux poivrons. Parsemez d'origan.

Par portion lipides 8,4 g ; 166 kcal

Bruschette aux champignons

Pour 8 personnes.

PRÉPARATION 20 MINUTES • CUISSON 15 MINUTES

1/2 pain ciabatta, en tranches
4 gousses d'ail, coupées en deux
125 ml d'huile d'olive
250 g de pleurotes, émincées
1 c. s. de jus de citron
125 ml de crème fraîche
125 g de champignons de Paris, émincés
2 c. s. de parmesan, râpé finement
2 c. s. de ciboulette fraîche, ciselée grossièrement

1. Faites griller les tranches de ciabatta. Frottez-les aussitôt d'ail sur un seul côté (réservez 1 gousse), puis disposez-les en une seule couche sur un plateau et arrosez-les d'huile d'olive.
2. Faites chauffer le reste d'huile dans une poêle antiadhésive. Écrasez la gousse d'ail réservée et faites-la revenir dans la poêle avec les pleurotes. Quand ces derniers sont tendres, versez le jus de citron et prolongez la cuisson à feu vif, jusqu'à absorption du liquide. Incorporez la crème et ajoutez les champignons de Paris. Laissez cuire sans cesser de mélanger, jusqu'à complète absorption du liquide. Retirez du feu et ajoutez le parmesan râpé.
3. Au moment de servir, garnissez les bruschette de préparation aux champignons et parsemez de ciboulette.

Par portion lipides 22,7 g ; 292 kcal

Bruschette aux olives, aux anchois et aux câpres

Pour 8 personnes.

PRÉPARATION 15 MINUTES • CUISSON 5 MINUTES

1/2 pain ciabatta, en tranches
3 gousses d'ail, coupées en deux
80 ml d'huile d'olive
3 filets d'anchois, égouttés et émincés
60 g d'olives noires, dénoyautées et hachées
1 c. s. de câpres, égouttées
1 c. s. de jus de citron
25 g de parmesan, en copeaux
2 c. s. de marjolaine

1. Faites griller les tranches de ciabatta. Frottez-les aussitôt d'ail sur un seul côté, puis disposez-les en une seule couche sur un plateau et arrosez-les d'huile d'olive.
2. Mélangez les anchois, les olives, les câpres et le jus de citron dans un récipient.
3. Au moment de servir, répartissez ce mélange sur les tranches de ciabatta et parsemez de parmesan et de marjolaine.

Par portion lipides 11,3 g ; 189 kcal

Bruschette aux tomates

Pour 8 personnes.

PRÉPARATION 15 MINUTES • CUISSON 5 MINUTES

1/2 pain ciabatta, en tranches
3 gousses d'ail, coupées en deux
60 ml d'huile d'olive
3 tomates olivettes, coupées en dés
1/2 oignon rouge, émincé
25 g de pousses de roquette
poivre du moulin

1. Faites griller les tranches de ciabatta. Frottez-les aussitôt d'ail sur un seul côté, puis disposez-les en une seule couche sur un plateau et arrosez-les d'huile d'olive.
2. Mélangez les tomates et l'oignon dans un récipient.
3. Au moment de servir, garnissez les bruschette de tomates et d'oignons, puis de pousses de roquette. Poivrez.

Par portion lipides 7,8 g ; 150 kcal

Les bruschette

Les pizzas

À partir d'une pâte à pain fraîche, vous pouvez réaliser une grande variété de pizzas en les garnissant des ingrédients les plus divers (sauce tomate, anchois, olives, fruits de mer ou charcuterie...). Vous pouvez acheter la pâte toute prête ou faire une pâte maison.

Pizza marinara

Pour 4 personnes.

PRÉPARATION 25 MINUTES • CUISSON 40 MINUTES

250 g de gambas crues
250 g de fruits de mer mélangés
1 c. s. d'huile d'olive
1 oignon blanc, émincé
1 gousse d'ail, pilée
425 g de tomates entières en conserve
80 ml de vin blanc sec
1 fond de pâte à pizza de 30 cm de diamètre
3 gousses d'ail pilées supplémentaires
70 g de concentré de tomate
2 c. s. d'origan séché

1 Décortiquez les gambas et retirez la veine dorsale. Rincez les fruits de mer à l'eau froide et égouttez-les. Préchauffez le four à 180 °C.

2 Faites chauffer l'huile dans une sauteuse et faites revenir l'oignon et l'ail en remuant bien. Ajoutez les tomates avec leur jus et le vin. Laissez mijoter 10 minutes, jusqu'à épaississement. Écrasez les tomates avec une cuillère en bois pendant la cuisson.

3 Ajoutez les fruits de mer et les gambas. Laissez-les mijoter 2 minutes à feu moyen, jusqu'à ce que les fruits de mer se colorent. Retirez-les avec une écumoire et laissez mijoter la sauce jusqu'à ce qu'elle soit très épaisse.

4 Étalez la pâte à pizza sur une plaque de cuisson légèrement graissée. Mélangez les gousses d'ail supplémentaires, le concentré de tomate et l'origan. Nappez la pâte de ce mélange, puis garnissez-la de fruits de mer et de gambas. Étalez enfin la sauce de cuisson des fruits de mer.

5 Faites cuire la pizza 20 minutes au four. Servez aussitôt.

Par portion lipides 9,5 g ; 383 kcal

Pizza aux tomates et aux oignons

Pour 4 personnes.

PRÉPARATION 15 MINUTES • CUISSON 15 MINUTES

4 pains pita
60 ml de sauce tomate
125 g de cheddar, râpé
2 tomates bien mûres, en tranches fines
1 oignon brun, émincé
30 g d'olives noires, coupées en deux

1 Préchauffez le four à 200 °C.
2 Étalez les pains pita sur une plaque de cuisson légèrement graissée. Nappez-les de sauce tomate, saupoudrez-les avec la moitié du fromage râpé, garnissez-les de tranches de tomate, d'oignon et d'olives et terminez avec le reste du cheddar râpé.
3 Faites cuire les pizzas 15 minutes au four, jusqu'à ce que la pâte soit croustillante.

Par portion lipides 16,7 g ; 390 kcal

Pizza napolitaine

Pour 6 personnes.

PRÉPARATION 20 MINUTES • CUISSON 30 MINUTES

300 g de mozzarella, coupée en tranches
2 c. s. de basilic, haché grossièrement

Pâte à pizza

2 c. c. de levure instantanée
1/2 c. c. de sel
375 g de farine, tamisée
250 ml d'eau tiède
1 c. s. d'huile d'olive

Sauce tomate

1 c. s. d'huile d'olive
1 oignon blanc, émincé
2 gousses d'ail, pilées
425 g de tomates entières en conserve
70 g de concentré de tomate
1 c. c. de sucre
1 c. s. d'origan frais

1 Préchauffez le four à 200 °C.

2 Étalez la pâte sur un plan de travail fariné et découpez 2 disques de 30 cm de diamètre. Nappez-les de sauce tomate et garnissez-les de tranches de mozzarella.

3 Faites cuire 15 minutes au four, jusqu'à ce que la pâte soit croustillante. Parsemez de basilic avant de servir.

Pâte à pizza Mélangez la levure, le sel et la farine tamisée dans un récipient. Versez progressivement l'eau et l'huile, en mélangeant bien. Travaillez la pâte pendant 10 minutes pour la rendre souple et élastique, puis mettez-la dans un récipient légèrement huilé. Laissez reposer 30 minutes dans un endroit chaud, jusqu'à ce qu'elle ait doublé de volume. Travaillez-la de nouveau quelques minutes sur une surface farinée avant de l'étaler.

Sauce tomate Faites chauffer l'huile dans une sauteuse et faites revenir l'oignon. Ajoutez l'ail, les tomates avec leur jus, le concentré de tomate, le sucre et l'origan. Laissez mijoter 15 minutes, jusqu'à épaississement.

Par portion lipides 18,1 g ; 452 kcal

Conservation

La pâte à pizza peut être préparée 3 heures à l'avance et conservée, couverte, au réfrigérateur. Sortez-la 10 minutes à température ambiante avant de l'étaler.

L'astuce du chef

Vous pouvez acheter de la pâte à pain chez votre boulanger ou de la pâte à pizza au rayon frais des grandes surfaces.

Pizza à l'ail et aux pommes de terre

Pour 4 personnes.

PRÉPARATION 25 MINUTES • CUISSON 1 H 10

1 kg de pommes de terre
4 gousses d'ail, pilées
2 c. s. d'origan frais
1 oignon brun, émincé
60 ml d'huile d'olive
7 tomates olivettes, coupées en deux
2 c. c. de sucre
1 fond de pâte à pizza de 30 cm de diamètre
150 g de mozzarella, râpée grossièrement
2 c. s. de basilic frais, ciselé

1 Faites cuire les pommes de terre à l'eau ou à la vapeur, puis égouttez-les. Coupez-les en quatre, puis en deux, et mélangez-les avec l'ail, l'origan et l'oignon dans un plat à gratin. Arrosez de 2 cuillerées à soupe d'huile d'olive et laissez rôtir 20 minutes au four, jusqu'à ce que les pommes de terre soient dorées.

2 Pendant ce temps, mélangez les tomates et le reste d'huile dans un plat et laissez cuire 20 minutes à four très chaud. Mixez grossièrement les tomates avec le sucre.

3 Nappez la base de la pizza de cette préparation, saupoudrez de 100 g de mozzarella et garnissez de pommes de terre. Ajoutez le reste de la mozzarella et le basilic. Faites cuire 30 minutes au four, jusqu'à ce que la pâte soit croustillante.

Par portion lipides 25 g ; 640 kcal

Calzone aux légumes

Pour 4 personnes.

PRÉPARATION 40 MINUTES • CUISSON 50 MINUTES

2 c. c. de levure
1 c. c. de sucre
375 ml d'eau chaude
600 g de farine
1 c. c. de sel
poivre noir du moulin
2 c. s. d'huile d'olive
125 g de cheddar, grossièrement râpé

Garniture aux légumes

1 mini-aubergine, grossièrement hachée
gros sel
1 c. s. d'huile d'olive
1 gros oignon, émincé
2 gousses d'ail, pilées
1 poivron rouge, coupé grossièrement
2 courgettes, coupées en tranches
2 branches de céleri, parées et émincées
2 c. s. de concentré de tomate
125 ml de bouillon de légumes

1 Battez la levure, le sucre et l'eau dans un récipient. Couvrez et laissez reposer 10 minutes dans un endroit chaud, jusqu'à ce que le mélange mousse.

2 Mettez dans un saladier la farine, le sel et le poivre, puis versez le mélange à base de levure et l'huile. Mélangez les ingrédients jusqu'à obtention d'une pâte homogène, puis pétrissez cette dernière 10 minutes sur un plan de travail fariné pour la rendre élastique. Mettez-la dans un récipient légèrement graissé, couvrez et laissez reposer 30 minutes dans un endroit chaud, jusqu'à ce qu'elle ait doublé de volume.

3 Pétrissez à nouveau la pâte sur le plan de travail, puis abaissez-la et découpez 4 disques de 24 cm de diamètre. Garnissez la moitié des disques de farce aux légumes, parsemez de cheddar râpé et rabattez l'autre moitié de pâte sur la garniture. Pressez fermement les bords.

4 Mettez les calzone sur une plaque de cuisson légèrement graissée. Avec la pointe d'un couteau, faites deux entailles en surface et faites cuire 20 minutes au four (180 °C).

Garniture aux légumes Faites dégorger l'aubergine : mettez-la dans un égouttoir, salez généreusement et laissez reposer 30 minutes. Rincez-la à l'eau froide et égouttez-la sur du papier absorbant. Faites chauffer l'huile dans une sauteuse et faites revenir l'oignon et l'ail. Ajoutez l'aubergine, le poivron, les courgettes et le céleri et laissez cuire 5 minutes. Ajoutez le concentré de tomate et le bouillon. Poursuivez la cuisson jusqu'à épaississement.

Par portion lipides 26,8 g ; 836 kcal

Pizza au saucisson

Pour 4 personnes.

PRÉPARATION 10 MINUTES • CUISSON 20 MINUTES

1 fond de pâte à pizza de 30 cm de diamètre
90 g de concentré de tomate
2 c. c. d'origan séché
200 g de mozzarella, râpée
150 g de saucisson italien, en tranches fines
80 g d'olives noires, dénoyautées

1 Préchauffez le four à 180 °C. Disposez le fond de pâte sur une plaque de cuisson légèrement graissée. Mélangez le concentré de tomate et l'origan, puis étalez cette préparation sur la pâte. Ajoutez 150 g de mozzarella, puis garnissez de tranches de saucisson italien et d'olives. Saupoudrez avec le reste de la mozzarella.

2 Faites cuire 20 minutes au four, jusqu'à ce que la pâte soit croustillante.

Par portion lipides 29 g ; 552 kcal

L'ASTUCE DU CHEF

Vous pouvez remplacer le saucisson italien par du jambon cru.

Pizza au prosciutto et à la ricotta

Pour 6 personnes.

PRÉPARATION 15 MINUTES • CUISSON 15 MINUTES

3 tomates rondes moyennes
3 feuilles de pâte à pizza
135 g de purée de tomates
300 g de jeunes feuilles d'épinards
1 gros oignon rouge, coupé en fines rondelles
9 tranches de prosciutto, coupées en deux
3 c. s. de feuilles de basilic frais, hachées grossièrement
300 g de ricotta
40 g de pignons de pin
60 ml d'huile d'olive
2 gousses d'ail, pilées

1 Préchauffez le four à 210 °C. Coupez chaque tomate en huit quartiers.

2 Abaissez la pâte pour former 3 disques de 20 cm de diamètre, que vous déposez sur une plaque de cuisson. Étalez sur chaque disque un tiers de la purée de tomates et garnissez de tranches de tomate, d'épinards, d'oignon, de prosciutto, de basilic, de fromage et de pignons de pin. Nappez d'huile et d'ail mélangés.

3 Faites cuire les pizzas 15 minutes au four, jusqu'à ce qu'elles soient légèrement dorées.

Par portion lipides 27,6 g ; 700 kcal

Pizza au salami

Pour 4 personnes.

PRÉPARATION 15 MINUTES • CUISSON 20 MINUTES

1 fond de pâte à pizza de 30 cm de diamètre
100 g de sauce tomate
2 c. s. d'origan séché
150 g d'oseille, cuite à la vapeur et bien égouttée
50 g de champignons de Paris, émincés
100 g de salami, en tranches fines
75 g de mozzarella, râpée

1 Préchauffez le four à 180 °C. Disposez le fond de pâte sur une plaque de cuisson légèrement graissée. Mélangez la sauce tomate et l'origan, puis étalez cette préparation sur la pâte. Ajoutez l'oseille, les champignons, puis les tranches de salami. Saupoudrez de mozzarella râpée.
2 Faites cuire 20 minutes au four, jusqu'à ce que la pâte soit croustillante.

Par portion lipides 27,6 g ; 701 kcal

Pizza au poulet, au fromage de chèvre et aux tomates rôties

Pour 2 personnes.

PRÉPARATION 25 MINUTES • CUISSON 35 MINUTES

500 g de tomates cerises, coupées en deux
2 c. s. de vinaigre balsamique
2 c. s. de sucre roux
2 blancs de poulet
1 pâte à pizza
2 c. s. de coriandre fraîche, hachée grossièrement
80 g de fromage de chèvre
40 g de pousses de roquette

1 Disposez les tomates sur une plaque de cuisson garnie de papier sulfurisé, arrosez du vinaigre et du sucre mélangés ; faites cuire à four très chaud pendant 25 minutes environ.

2 Pendant ce temps, faites cuire le poulet sur une plaque en fonte huilée et préalablement chauffée jusqu'à ce qu'il soit doré des deux côtés. Laissez refroidir 5 minutes ; coupez-le en tranches fines.

3 Étalez la pâte sur la plaque du four, faites-la cuire à four chaud 10 minutes environ, jusqu'à ce qu'elle soit légèrement dorée.

4 Garnissez la pizza avec les tomates, le poulet, la coriandre et le fromage émietté. Remettez au four 10 minutes, jusqu'à ce que la pizza soit dorée et croustillante. Ajoutez les pousses de roquette juste avant de servir.

Par portion lipides 17,6 g ; 784 kcal

Les astuces du chef

- On peut remplacer la pâte à pizza par du pain libanais.
- Le papier sulfurisé empêche la peau des tomates de coller à la plaque.

Pizza à la feta et à l'oseille

Pour 6 personnes.

PRÉPARATION 25 MINUTES • CUISSON 30 MINUTES

2 c. c. de levure de boulanger
1 c. c. de sucre
375 g de farine
250 ml d'eau chaude
1/2 c. c. de sel
2 c. s. d'huile d'olive
40 g de semoule de blé
500 g d'oseille
200 g de feta, émiettée
25 g de parmesan, finement râpé
10 tomates cerises, coupées en deux

Sauce tomate

1 c. s. d'huile d'olive
1 oignon, grossièrement haché
2 gousses d'ail, pilées
425 g de tomates en conserve
140 g de concentré de tomate
50 g de basilic frais, grossièrement haché
1 c. c. de sucre

1 Mélangez la levure, le sucre, 1 cuillerée à soupe de farine et l'eau dans un récipient. Couvrez et laissez reposer 10 minutes dans un endroit chaud.

2 Mettez le reste de la farine tamisée et le sel dans un récipient. Versez la levure et l'huile et mélangez jusqu'à obtention d'une pâte homogène. Pétrissez la pâte 10 minutes sur un plan de travail fariné jusqu'à ce qu'elle soit lisse et élastique. Mettez-la dans un récipient légèrement huilé, couvrez et laissez reposer 30 minutes dans un endroit chaud, jusqu'à ce que la pâte ait doublé de volume.

3 Saupoudrez la moitié de la semoule sur le plan de travail. Travaillez à nouveau la pâte pendant 1 minute, saupoudrez dessus le reste de semoule, puis abaissez-la en une fine feuille sur une plaque de cuisson légèrement huilée.

4 Faites cuire l'oseille à la vapeur jusqu'à ce qu'elle commence à flétrir, puis égouttez-la. Mettez-la dans une passoire et pressez-la contre les parois du récipient pour éliminer l'eau. Hachez-la finement. Nappez la pâte de sauce tomate, puis étalez l'oseille, la feta et les tomates. Faites cuire 20 minutes à four très chaud.

Sauce tomate Faites chauffer l'huile dans une sauteuse et faites revenir l'oignon et l'ail. Quand l'oignon est fondu, ajoutez les tomates avec leur jus, le concentré de tomate, le basilic et le sucre. Laissez mijoter 5 minutes jusqu'à épaississement.

Par portion lipides 19,5 g ; 483 kcal

Pizza au bocconcini et aux artichauts

Pour 4 personnes.

PRÉPARATION 10 MINUTES • CUISSON 25 MINUTES

1 fond de pâte à pizza de 30 cm de diamètre
200 g de pesto
100 g d'aubergines marinées, coupées en tranches
200 g de poivrons grillés, coupées en lanières
2 cœurs d'artichauts marinés, égouttés et coupés en tranches fines
6 tranches épaisses de bocconcini
2 c. s. de pignons de pin

1 Préchauffez le four à 170 °C. Étalez la pâte sur une plaque de cuisson légèrement huilée. Nappez-la de pesto, garnissez-la de tranches d'aubergine, de poivron et d'artichaut, puis de bocconcini. Ajoutez enfin les pignons de pin.
2 Faites cuire 20 minutes au four, jusqu'à ce que la pâte soit dorée.

Par portion lipides 40,1 g ; 147 kcal

Pizza aux épinards et aux anchois

Pour 4 personnes.

PRÉPARATION 15 MINUTES • CUISSON 20 MINUTES

1 fond de pâte à pizza de 30 cm de diamètre
80 ml de sauce tomate
150 g d'épinards, cuits et bien égouttés
50 g de mozzarella, râpée
25 g de parmesan, râpé
30 g de cheddar, râpé
80 g d'olives noires
6 filets d'anchois à l'huile, égouttés

1 Préchauffez le four à 180 °C. Mettez le fond de pizza sur une plaque de cuisson légèrement graissée et nappez-le de sauce tomate.

2 Hachez grossièrement les feuilles d'épinards. Mélangez les trois fromages. Garnissez la pizza d'épinards et de fromage râpé, puis ajoutez les olives et les filets d'anchois.

3 Faites cuire 20 minutes au four, jusqu'à ce que la pâte soit croustillante.

Par portion lipides 10,7 g ; 322 kcal

Riz, gnocchis et polenta

Même si les pâtes sont élevées en Italie au rang de plat national, il y a des régions (au nord notamment) où elles sont concurrencées par le riz, la polenta et les gnocchis de maïs ou de pommes de terre. Vous trouverez ici des recettes à déguster en plat unique ou pour accompagner viandes et poissons.

Risotto au potiron et aux pousses d'épinards

Pour 4 personnes.

PRÉPARATION 20 MINUTES • CUISSON 40 MINUTES

1 kg de potiron, coupé en cubes
60 ml d'huile d'olive
300 g de riz arborio
1 gousse d'ail, pilée
1 c. s. de romarin frais
1 l de bouillon de légumes, chaud
150 g de pousses d'épinards
20 g de parmesan, grossièrement râpé
60 ml de crème fraîche
2 c. s. de parmesan supplémentaire, en copeaux

1 Mélangez le potiron et la moitié de l'huile dans un plat à gratin. Faites rôtir 40 minutes au four, jusqu'à ce que le potiron soit tendre.

2 Pendant ce temps, faites chauffer le reste d'huile dans une sauteuse et versez le riz en mélangeant bien. Ajoutez l'ail et le romarin. Laissez cuire jusqu'à ce que le mélange embaume.

3 Versez 250 ml de bouillon et poursuivez la cuisson en remuant sans cesse, jusqu'à absorption complète du liquide.

4 Continuez de mouiller en plusieurs fois, jusqu'à complète absorption du liquide. Cette opération prendra environ 35 minutes. Retirez du feu.

5 Mélangez le potiron, les épinards, le parmesan râpé et la crème fraîche. Incorporez ce mélange dans le riz et servez le risotto parsemé de copeaux de parmesan.

Par portion lipides 25,3 g ; 689 kcal

L'ASTUCE DU CHEF

Les restes de risotto peuvent être passés à la poêle et servis avec du prosciutto.

Risotto frit au basilic et à la pancetta

Pour 4 personnes.

PRÉPARATION 20 MINUTES • CUISSON 45 MINUTES

125 ml de vin blanc sec
1 oignon, finement haché
1 gousse d'ail, pilée
200 g de riz arborio
750 ml de bouillon de poule
2 c. s. de persil, finement haché
2 c. s. de ciboulette, finement hachée
2 c. s. de parmesan, finement râpé
1 blanc d'œuf, légèrement battu
4 tranches de pancetta
1 c. c. de Maïzena
1 c. c. d'eau
180 ml de lait concentré allégé
1 c. s. de basilic, finement haché

1 Dans une grande casserole, faites chauffer 2 cuillerées à soupe de vin. Ajoutez l'oignon et l'ail, laissez cuire environ 2 minutes. Ajoutez le riz et le reste du vin. Laissez cuire 3 minutes, jusqu'à ce que le liquide ait réduit de moitié. Mouillez avec le bouillon et portez à ébullition. Couvrez puis laissez mijoter 15 minutes en tournant de temps en temps. Retirez du feu et incorporez le persil, la ciboulette et le parmesan. Laissez refroidir. Incorporez le blanc d'œuf, puis façonnez 4 galettes.

2 Faites griller la pancetta au four pendant 5 minutes environ. Égouttez sur du papier absorbant. Cassez en petits morceaux.

3 Dans une grande poêle, faites chauffer de l'huile et faites dorer les galettes de riz des deux côtés. Disposez-les sur la plaque du four et réchauffez-les à 180 °C pendant 10 minutes.

4 Pendant ce temps, délayez la Maïzena avec l'eau dans une petite casserole. Ajoutez le lait et portez à ébullition en tournant sans cesse. Quand le mélange commence à épaissir, ajoutez le basilic. Versez la sauce sur les galettes de risotto et servez avec les morceaux de pancetta.

Par portion lipides 3,6 g ; 294 kcal

Gnocchis de potiron au pesto de roquette

Pour 8 personnes.

PRÉPARATION 30 MINUTES • CUISSON 50 MINUTES

Pour cette recette, il vous faut 1,250 kg de potiron avec la peau.

6 c. s. de pousses de roquette fraîche, ciselées
90 g de pistaches, grillées
2 gousses d'ail, coupées en quatre
40 g de parmesan, râpé
60 ml d'huile d'olive
800 g de potiron, grossièrement coupé
1 c. s. d'huile d'olive supplémentaire, pour la cuisson du potiron
2 grosses pommes de terre, grossièrement coupées
1 œuf, légèrement battu
1 jaune d'œuf
300 g de farine
600 ml de crème fraîche

1 Mélangez la roquette, les pistaches, l'ail et le parmesan dans un récipient. Versez l'huile en filet et mixez jusqu'à obtention d'une pâte homogène.

2 Préchauffez le four à 200 °C. Mélangez le potiron et la cuillerée à soupe d'huile d'olive supplémentaire dans un plat allant au four. Faites rôtir 45 minutes jusqu'à ce que le potiron soit tendre. Pendant ce temps, faites cuire les pommes de terre à l'eau ou à la vapeur, puis égouttez-les.

3 Écrasez les pommes de terre et le potiron à la fourchette ou au presse-purée. Ajoutez l'œuf battu et le jaune d'œuf. Mélangez bien, puis incorporez progressivement la farine en travaillant le mélange à la main. Déposez-le sur un plan de travail fariné et pétrissez-le pendant 2 minutes pour obtenir une pâte lisse.

4 Formez à la main des boulettes de la valeur d'une cuillerée à café de pâte, puis aplatissez-les avec le dos d'une fourchette pour dessiner un relief dans la pâte.

5 Plongez ces gnocchis dans un grand volume d'eau bouillante salée. Dès qu'ils remontent à la surface, retirez-les avec une écumoire et égouttez-les dans une passoire avant de les mettre dans un plat de service chaud.

6 Pendant que les gnocchis cuisent, faites chauffer la crème et 2 cuillerées à soupe de mélange à la roquette dans une casserole. Versez cette sauce sur les gnocchis égouttés. Remuez délicatement. Proposez le reste du pesto à la roquette dans un petit bol.

Par portion lipides 51,3 g ; 704 kcal

Risotto au citron

Pour 4 personnes.

PRÉPARATION 15 MINUTES • CUISSON 40 MINUTES

1 l de bouillon de poule
250 ml de vin blanc sec
2 c. c. de zeste de citron
1 c. s. de jus de citron
80 g de beurre
1 oignon, finement haché
400 g de riz arborio
60 g de parmesan, râpé
2 c. s. de persil, finement haché

1 Portez à ébullition le bouillon et le vin, puis ajoutez le zeste et le jus de citron ; couvrez et laissez frémir pendant que vous préparez le riz et les oignons.
2 Mettez la moitié du beurre dans une sauteuse et faites revenir les oignons en remuant. Ajoutez le riz et remuez délicatement pour qu'il s'imprègne de beurre.
3 Mouillez avec 250 ml de liquide frémissant. Maintenez à feu modéré en continuant à remuer jusqu'à ce que tout le liquide soit absorbé.
4 Continuez de mouiller en plusieurs fois, jusqu'à ce que tout le liquide soit absorbé ; le temps de cuisson total est d'environ 35 minutes.
5 Éteignez sous la casserole ; ajoutez le reste du beurre, le parmesan et le persil. Servez immédiatement.

Par portion lipides 22,1 g ; 671 kcal

Les astuces du chef

• Vous pouvez remplacer le beurre par de l'huile d'olive, ou bien utiliser un peu des deux.
• Le bouillon doit toujours être frémissant pendant que vous faites cuire le riz. S'il est juste tiède, le riz deviendra collant.
• Le risotto ne se réchauffe pas. Préparez-le au dernier moment, par exemple pendant que vos convives dégustent des antipasti, et accompagnez-le d'une salade verte.

Risotto à la milanaise

Pour 2 personnes.

PRÉPARATION 15 MINUTES • CUISSON 40 MINUTES

875 ml de bouillon de poule
125 ml de vin blanc sec
1/4 c. c. de safran
50 g de beurre
1 gros oignon brun, émincé
350 g de riz arborio
2 c. s. de parmesan, râpé

1 Portez à ébullition le bouillon, le vin et le safran. Baissez le feu, couvrez, puis laissez frémir.
2 Faites chauffer la moitié du beurre dans une sauteuse et faites revenir l'oignon à feu moyen. Ajoutez le riz et mélangez bien. Versez une louche de bouillon chaud et laissez cuire à feu doux en remuant sans cesse, jusqu'à complète absorption du liquide.
3 Continuez de mouiller jusqu'à ce qu'il ne reste plus de bouillon. Le riz doit être crémeux (comptez 35 minutes de cuisson en tout).
4 Ajoutez le reste de beurre et le parmesan, mélangez bien et servez aussitôt.

Par portion lipides 25,5 g ; 949 kcal

Gnocchis au beurre brun et à la sauge

Pour 4 personnes.

PRÉPARATION 25 MINUTES • CUISSON 25 MINUTES

3 grosses pommes de terre
1 gousse d'ail, pilée
2 c. s. de lait
2 jaunes d'œufs
25 g de parmesan, râpé
150 g de farine
125 g de beurre
12 feuilles de sauge fraîche
20 g de parmesan, en copeaux
poivre noir du moulin

1 Faites cuire les pommes de terre à l'eau ou à la vapeur, puis égouttez-les. Écrasez-les en purée avec l'ail et le lait. Ajoutez les jaunes d'œufs, le parmesan râpé et un peu de farine pour obtenir une pâte épaisse.

2 Découpez la pâte en quatre parts égales. Roulez-les une à une pour former quatre bûchettes de 2 cm de diamètre. Aplatissez légèrement les bûchettes, puis coupez-les en tronçons de 2 cm. Pressez les gnocchis avec le dos d'une fourchette en imprimant les dents dans la pâte. Disposez-les en une seule couche sur une plaque farinée et laissez reposer 3 heures au réfrigérateur.

3 Faites cuire les gnocchis dans un grand volume d'eau bouillante salée. Dès qu'ils remontent à la surface, retirez-les avec une écumoire et mettez-les dans un récipient chaud.

4 Faites brunir le beurre dans une poêle, ajoutez les feuilles de sauge et retirez aussitôt la poêle du feu. Répartissez les gnocchis sur les assiettes de service chaudes et arrosez-les de beurre brun à la sauge. Donnez un tour de moulin à poivre, décorez de copeaux de parmesan et servez aussitôt.

Par portion lipides 33,2 g ; 594 kcal

Polenta aux légumes braisés

Pour 4 personnes.

PRÉPARATION 15 MINUTES • CUISSON 20 MINUTES

625 ml d'eau
170 g de polenta
40 g de parmesan, râpé
1 c. s. d'huile d'olive
1 oignon moyen, émincé
1 gousse d'ail, pilée
200 g de petits champignons de Paris
2 courgettes moyennes, en tranches épaisses
100 g de courge, en morceaux
600 ml de sauce tomate
180 ml de bouillon de légumes

1 Faites bouillir l'eau dans une casserole. Versez la polenta en pluie sans cesser de remuer. Couvrez et baissez le feu au maximum. Laissez cuire 10 minutes environ, en remuant toujours, jusqu'à épaississement. Ajoutez le fromage et mélangez bien jusqu'à ce qu'il soit fondu.

2 Pendant ce temps, faites chauffer l'huile dans une sauteuse et faites revenir l'oignon et l'ail. Ajoutez les champignons, laissez cuire 3 minutes en remuant, puis incorporez les courgettes et la courge. Laissez cuire 2 minutes, puis versez la sauce tomate et le bouillon ; portez à ébullition. Baissez le feu et laissez mijoter 8 minutes, jusqu'à ce que les légumes soient juste tendres.

3 Servez la polenta garnie de légumes braisés.

Par portion lipides 10,5 g ; 349 kcal

Suggestion Accompagnez ce plat d'une salade verte et de pain croustillant.

L'ASTUCE DU CHEF

Les légumes peuvent être préparés à l'avance. Conservez-les au réfrigérateur et faites-les réchauffer à la dernière minute.

Gnocchis aux quatre fromages

Pour 4 personnes.

PRÉPARATION 10 MINUTES • CUISSON 10 MINUTES

60 ml de vin blanc sec
250 g de mascarpone
120 g de fontina, râpée grossièrement
40 g de parmesan, grossièrement râpé
60 ml de lait
625 g de gnocchis
75 g de gorgonzola, émietté
poivre noir du moulin

1 Portez le vin à ébullition dans une sauteuse et laissez-le réduire de moitié. Ajoutez le mascarpone et remuez jusqu'à obtention d'une préparation onctueuse. Incorporez la fontina, le parmesan et le lait. Laissez cuire en remuant, jusqu'à ce que les fromages soient fondus.

2 Pendant ce temps, faites cuire les gnocchis dans un grand volume d'eau bouillante salée. Dès qu'ils remontent à la surface, retirez-les avec une écumoire et mettez-les dans un plat de service chaud.

3 Mélangez délicatement les gnocchis, le gorgonzola et la sauce aux trois fromages. Donnez un tour de moulin à poivre avant de servir.

Par portion lipides 52,3 g ; 733 kcal

Risotto au saumon fumé

Pour 4 personnes.

PRÉPARATION 10 MINUTES • CUISSON 40 MINUTES

1,5 l de bouillon de poule
250 ml de vin blanc sec
40 g de beurre
1 poireau émincé
2 gousses d'ail, pilées
400 g de riz arborio
1/4 c. c. de curcuma moulu
40 g de beurre supplémentaires, en dés
40 g de parmesan, râpé
100 g de saumon fumé, coupé grossièrement
2 c. c. d'aneth, finement haché
50 g de pousses d'épinards

1 Portez le bouillon et le vin à ébullition dans une casserole. Baissez le feu, couvrez et maintenez un léger frémissement.

2 Faites chauffer le beurre dans une sauteuse et faites revenir le poireau et l'ail. Ajoutez le riz et le curcuma en mélangeant bien. Versez une louche de bouillon chaud et faites cuire en remuant sans cesse, jusqu'à complète absorption du liquide.

3 Continuez de mouiller jusqu'à ce qu'il ne reste plus de bouillon. Le riz doit être crémeux (comptez environ 35 minutes).

4 Retirez la sauteuse du feu et ajoutez les dés de beurre, le parmesan, le saumon, l'aneth et les pousses d'épinards. Mélangez délicatement et servez aussitôt.

Par portion lipides 23,1 g ; 675 kcal

Gnocchis aux épinards

Pour 4 personnes.

PRÉPARATION 20 MINUTES • CUISSON 20 MINUTES

500 g d'épinards, parés
250 g de ricotta
80 g de parmesan, râpé
1 œuf
1 pincée de noix de muscade
farine
45 g de beurre, fondu

1 Faites cuire les épinards 5 minutes à l'autocuiseur, puis égouttez-les bien. Pressez-les pour éliminer l'excédent de liquide. Coupez-les finement dans un saladier et ajoutez la ricotta, la moitié du parmesan, l'œuf et la noix de muscade. Mélangez bien.

2 Confectionnez des boulettes ovales avec la préparation aux épinards.

3 Roulez les gnocchis dans un peu de farine. Plongez-les en plusieurs fois dans un grand volume d'eau bouillante salée. Laissez-les cuire doucement 2 minutes. Dès qu'ils remontent à la surface, sortez-les à l'aide d'une écumoire et disposez-les sur un plat graissé allant au four.

4 Versez le beurre fondu sur les gnocchis ; parsemez de parmesan. Mettez le plat sous le gril et laissez chauffer jusqu'à ce que le fromage soit doré.

Par portion lipides 25,1 g ; 329 kcal

Gnocchis à la romaine

Pour 4 personnes.

PRÉPARATION 30 MINUTES • CUISSON 40 MINUTES

750 ml de lait
1 1/2 c. c. de sel
1 pincée de noix de muscade
110 g de semoule
1 œuf, légèrement battu
120 g de parmesan, râpé
60 g de beurre, fondu

1 Portez le lait à ébullition avec le sel et la muscade, puis baissez le feu. Versez la polenta en remuant constamment avec une cuillère en bois.
2 Laissez cuire 10 minutes sans couvrir et sans cesser de remuer, jusqu'à ce que la cuillère tienne toute seule dans la polenta. Retirez du feu.
3 Mélangez l'œuf et 80 g de parmesan dans un récipient. Ajoutez la polenta ; remuez bien. Étalez la préparation dans un plat rectangulaire huilé, en la tassant avec une spatule pour qu'elle ne dépasse pas 5 mm d'épaisseur. Réservez 1 heure au réfrigérateur.
4 Découpez la polenta en disques de 4 cm de diamètre. Disposez ces derniers dans un plat graissé, en les faisant se chevaucher. Nappez de beurre fondu et recouvrez avec le reste de fromage. Faites cuire 15 minutes à four moyen, jusqu'à ce que les gnocchis soient dorés et croustillants.

Par portion lipides 31,4 g ; 480 kcal

Polenta frite

Pour 4 personnes.

PRÉPARATION 15 MINUTES • RÉFRIGÉRATION 3 HEURES • CUISSON 50 MINUTES

La polenta est une spécialité du nord de l'Italie, en particulier de la région de Venise. Souvent servie nature avec une sauce bolognaise, elle peut aussi être frite. On la parsème alors parfois de filets d'anchois émincés et d'olives.

2 l d'eau
2 c. c. de sel
340 g de polenta
60 ml d'huile d'olive

1 Salez l'eau et portez-la à ébullition, puis versez la polenta en pluie, en remuant sans cesse avec une cuillère en bois pour éviter la formation de grumeaux.
2 Baissez le feu et continuez la cuisson pendant 30 minutes, sans cesser de remuer, jusqu'à ce que la polenta se détache des bords de la casserole.
3 Étalez la polenta dans un moule rectangulaire légèrement graissé, puis égalisez la surface avec une spatule. Laissez refroidir à température ambiante, puis conservez 3 heures au réfrigérateur.
4 Démoulez la polenta et détaillez-la en rectangles de 4 cm sur 6 cm. Faites chauffer l'huile dans une sauteuse et faites frire les rectangles de polenta pour qu'ils soient dorés sur toutes les faces et bien chauds à l'intérieur.

Par portion lipides 15,4 g ; 161 kcal

Salade de tomates mozzarella

Pour 6 personnes.

PRÉPARATION 10 MINUTES

4 tomates moyennes
2 petites mozzarella di buffala
1 c. s. de basilic frais, grossièrement haché

Vinaigrette

60 ml d'huile d'olive
2 c. c. de vinaigre balsamique
1 gousse d'ail, pilée
1 c. c. de sucre semoule

1 Coupez les tomates et le fromage en tranches de 5 mm d'épaisseur.
2 Disposez les tranches de tomate et de fromage en couches alternées dans un plat de service, parsemez de basilic et assaisonnez.

Vinaigrette Mélangez tous les ingrédients dans un bocal muni d'un couvercle et remuez énergiquement.

Par portion lipides 21,9 g ; 266 kcal

Aubergines rôties à la mozzarella

Pour 8 personnes.

PRÉPARATION 15 MINUTES • CUISSON 15 MINUTES

2 aubergines moyennes, pelées
250 g de mozzarella
8 feuilles de basilic
60 ml d'huile d'olive

1 Coupez les aubergines en huit rondelles de 2 cm d'épaisseur. Ouvrez chaque rondelle en deux à l'horizontale de manière à former une poche.
2 Coupez la mozzarella en huit tranches. Glissez 1 tranche de mozzarella et 1 feuille de basilic à l'intérieur des tranches d'aubergines. Recoupez si besoin les bords de la mozzarella pour éviter qu'ils ne dépassent.
3 Faites chauffer l'huile dans une poêle antiadhésive et faites dorer les aubergines sur les deux faces, jusqu'à ce que le fromage soit fondu.

Par portion lipides 13,9 g ; 167 kcal

Pain grillé aux poires et au parmesan

Pour 6 personnes.

PRÉPARATION 5 MINUTES • CUISSON 5 MINUTES

275 g de ciabatta, en fines tranches
2 c. s. d'huile d'olive
6 poires, en tranches fines
180 g de parmesan, en copeaux épais

1 Badigeonnez d'huile les tranches de ciabatta et faites-les dorer sous le gril du four.
2 Garnissez de tranches de poires et de copeaux de parmesan. Servez aussitôt.

Par portion lipides 17,1 g ; 161 kcal

Prosciutto aux figues

Pour 4 personnes.

PRÉPARATION 10 MINUTES

4 figues fraîches
8 tranches de prosciutto
50 g de pousses de roquette
2 c. s. d'huile d'olive
sel et poivre du moulin

1 Ouvrez les figues et dressez-les sur les assiettes de service, avec les tranches de prosciutto.
2 Versez l'huile d'olive sur la roquette, salez et poivrez. Servez aussitôt.

Par portion lipides 11,1 g ; 145 kcal

Les classiques italiens

Les fruits de mer et les poissons

De nombreuses régions d'Italie bordent la mer et l'intérieur du pays bénéficie de multiples lacs aux eaux poissonneuses. Aussi la cuisine italienne fait-elle la part belle aux poissons et fruits de mer. On les retrouve dans beaucoup de soupes, ragoûts ou sauces, mais ils sont aussi servis frits ou grillés, avec des herbes et des épices.

Daube de poulpes

Pour 4 personnes.

PRÉPARATION 20 MINUTES • CUISSON 1 H 45

1 kg de petits poulpes, nettoyés
1 c. s. d'huile d'olive
1 oignon brun, grossièrement haché
3 gousses d'ail, pilées
250 ml de vin rouge
850 g de tomates entières en conserve
6 filets d'anchois conservés à l'huile, égouttés et grossièrement hachés
70 g de purée de tomates
2 c. s. d'origan frais, grossièrement haché

1 Rincez les poulpes et coupez-les en quatre.
2 Faites chauffer l'huile dans une sauteuse et faites revenir l'oignon et l'ail à feu moyen. Ajoutez les poulpes et poursuivez la cuisson jusqu'à coloration.
3 Versez le vin et laissez frémir 5 minutes pour faire réduire le liquide de cuisson d'un tiers.
4 Ajoutez les tomates avec leur jus, les filets d'anchois, la purée de tomates et l'origan. Laissez mijoter 1 h 30 à feu doux, jusqu'à ce que les poulpes soient tendres.

Par portion lipides 8,1 g ; 327 kcal

Conservation

Cette recette est plus savoureuse si elle est préparée la veille. Réchauffez-la à feu doux et accompagnez de riz blanc.

Moules marinières aux herbes et au piment

Pour 8 personnes.

PRÉPARATION 30 MINUTES • CUISSON 25 MINUTES

2 kg de moules de bouchot
2 c. s. d'huile d'olive
8 gousses d'ail, pilées
4 piments rouges, épépinés et finement hachés
1 c. s. de zeste de citron, finement râpé
250 ml de jus de citron
250 ml de vin blanc sec
3 c. s. de persil plat, finement haché
2 c. s. de basilic, finement haché

1 Nettoyez les moules à la brosse et retirez les barbes.
2 Faites chauffer l'huile dans une casserole et faites revenir l'ail, le piment et le zeste de citron pendant 2 minutes, jusqu'à ce que le mélange embaume. Ajoutez les moules, le jus de citron et le vin. Portez à ébullition, puis couvrez et laissez cuire 5 minutes environ, jusqu'à ce que les moules soient ouvertes (jetez celles qui restent fermées). Retirez les moules de la casserole.
3 Portez le jus de cuisson des moules à ébullition et laissez cuire 10 minutes environ pour faire réduire le liquide. Ajoutez le persil et le basilic.
4 Remettez les moules dans la casserole et faites-les chauffer à feu doux en remuant sans cesse.

Par portion lipides 5,9 g ; 122 kcal

Suggestion Servez avec du riz basmati.

Calamars frits au prosciutto et à l'aïoli

Pour 4 personnes.

PRÉPARATION 15 MINUTES • CUISSON 15 MINUTES

1 kg de calamars, nettoyés
2 blancs d'œufs
1 c. c. de sel
1 c. c. de poivre noir, concassé
huile végétale pour la friture

Prosciutto croustillant

120 g de fines tranches de prosciutto
2 c. s. de sucre brun
1 c. s. d'eau chaude

Aïoli

2 jaunes d'œufs
2 c. c. de jus de citron
2 gousses d'ail, pilées
180 ml d'huile d'olive

1. Coupez les corps des calamars en deux dans la longueur et incisez-les en plusieurs endroits avec la pointe d'un couteau, puis coupez-les en lanières de 2 cm d'épaisseur.
2. Battez les blancs d'œufs dans un récipient. Salez et poivrez.
3. Faites chauffer l'huile dans une sauteuse. Plongez les calamars dans les blancs d'œufs battus, puis faites-les frire en plusieurs fois. Égouttez-les sur du papier absorbant.
4. Servez les calamars avec l'aïoli et le prosciutto.

Prosciutto croustillant Mélangez l'eau et le sucre dans un récipient, puis plongez les tranches de prosciutto dans ce mélange. Pliez-les en deux dans le sens de la longueur, puis roulez-les. Disposez-les sur une plaque de cuisson et faites-les cuire 10 minutes au four, jusqu'à coloration.

Aïoli Battez les jaunes d'œufs, le jus de citron et l'ail jusqu'à obtention d'un mélange homogène. Versez progressivement l'huile en continuant de battre pour émulsionner la sauce. Conservez la sauce au réfrigérateur jusqu'au moment de servir.

Par portion lipides 62,4 g ; 784 kcal

Sardines farcies

Pour 4 personnes.

PRÉPARATION 35 MINUTES • CUISSON 15 MINUTES

1 poireau moyen
12 grosses crevettes, cuites
12 sardines
12 tranches de prosciutto
70 g de pesto de légumes grillés
2 courgettes jaunes moyennes
2 courgettes vertes moyennes

1 Coupez le poireau en deux, puis en tronçons de 10 cm. Séparez les feuilles. Mettez-les dans une casserole d'eau bouillante ; égouttez, rincez à l'eau froide et égouttez à nouveau.
2 Décortiquez les crevettes et enlevez la veine centrale en laissant la queue intacte.
3 Ouvrez les sardines, videz-les en retirant les têtes, puis aplatissez-les. Disposez-les sur une planche, côté peau dessous, et garnissez-les de poireau et de prosciutto. Étalez un peu de pesto et finissez avec 1 crevette. Roulez le poisson autour de la crevette. Maintenez en place avec un cure-dent.
4 Découpez les courgettes en tranches de 5 mm d'épaisseur dans le sens de la longueur. Faites-les griller au four ou au barbecue, puis réservez au chaud.
5 Faites griller le poisson au four ou au barbecue. Servez avec les courgettes.

Par portion lipides 10 g ; 298 kcal

L'ASTUCE DU CHEF

Vous trouverez du pesto de légumes grillés dans la plupart des supermarchés ; à défaut, remplacez-le par du pesto aux herbes.

Paloudes aux tomates fraîches

Pour 4 personnes.

PRÉPARATION 30 MINUTES • CUISSON 10 MINUTES

2,5 kg de palourdes, préparées
125 ml de vin blanc sec
1 petit oignon rouge, finement haché
2 gousses d'ail, pilées
2 c. s. de jus de citron
2 c. s. de vinaigre de vin blanc ou de cidre
125 ml d'huile d'olive
5 grosses tomates, grossièrement hachées
4 oignons verts, émincés
2 c. s. de coriandre fraîche, grossièrement hachée

1 Rincez les palourdes et égouttez-les. Mettez-les dans une casserole avec le vin ; couvrez et portez à ébullition ; laissez frémir 5 minutes, jusqu'à ce que les coquillages s'ouvrent (jetez ceux qui restent fermés).
2 Pendant ce temps, faites chauffer 1 cuillerée à soupe d' huile dans une sauteuse et faites revenir l'oignon rouge et l'ail à feu moyen. Ajoutez le jus de citron, le vinaigre et le reste d'huile ; laissez épaissir 2 minutes. Incorporez les tomates, remuez 2 minutes sur le feu et laissez tiédir.
3 Égouttez les palourdes, puis ajoutez-les dans la sauce tomate ; parsemez d'oignon vert et de coriandre. Servez aussitôt.

Par portion lipides 30,7 g ; 378 kcal

Espadon frit aux câpres et aux herbes

Pour 8 personnes.

PRÉPARATION 20 MINUTES • CUISSON 20 MINUTES

150 g de pignons de pin
40 g de flocons d'avoine
35 g de graines de sésame
200 g de chapelure
1/2 c. c. de graines de moutarde, pilées
1 c. s. de zeste de citron
1 c. s. de jus de citron
1 œuf, légèrement battu
1 c. s. de miel
2 c. s. de persil frais, haché
2 c. s. de thym frais, haché
2 c. s. de câpres, égouttées et grossièrement hachées
80 g de parmesan, râpé
8 darnes d'espadon
farine
2 œufs supplémentaires, légèrement battus
125 ml d'huile végétale pour la friture
quartiers de citron

1 Mixez les pignons de pin, les flocons d'avoine et les graines de sésame, puis ajoutez la chapelure, les graines de moutarde, le zeste de citron, le jus de citron, l'œuf, le miel, les herbes aromatiques, les câpres et le parmesan, sans cesser de mixer. Roulez le poisson dans la farine et secouez-le pour éliminer l'excédent. Plongez-le dans les œufs battus, puis dans la préparation à base de chapelure.

2 Faites chauffer l'huile végétale dans une sauteuse et faites frire les darnes de poisson, en plusieurs fois. Disposez-les en une seule couche dans un plat à gratin légèrement graissé et finissez la cuisson au four pendant 15 minutes. Servez avec des quartiers de citron.

Par portion lipides 40,3 g ; 642 kcal

Daurade à la gremolata

Pour 4 personnes.

PRÉPARATION 25 MINUTES • CUISSON 30 MINUTES

La gremolata est un assaisonnement composé de persil frais, de zeste de citron et d'ail finement hachés. Pour cette recette, nous l'avons agrémenté de noisettes hachées.

35 g de noisettes grillées et finement hachées
2 c. s. de zeste de citron, finement haché
2 c. s. de persil frais, finement haché
2 gousses d'ail, hachées
4 pommes de terre moyennes, coupées en quartiers
40 g de beurre, en morceaux
60 ml de lait
4 filets de daurade
1 c. s. d'huile d'olive

1 Dans un petit saladier, mélangez les noisettes, le zeste de citron, le persil et la moitié de l'ail ; couvrez et réservez au réfrigérateur.

2 Faites cuire les pommes de terre à l'eau ou à la vapeur. Égouttez-les, puis écrasez-les en purée avec le beurre, le lait et le restant de l'ail.

3 Pendant ce temps, badigeonnez le poisson d'huile et faites-le griller sur une plaque de cuisson en fonte. Servez sur un lit de purée ; saupoudrez de gremolata.

Par portion lipides 24,9 g ; 469 kcal

Salade de fruits de mer grillés

Pour 6 personnes.

PRÉPARATION 30 MINUTES • MARINADE 30 MINUTES • CUISSON 20 MINUTES

24 gambas crues
500 g de calamars, nettoyés
500 g de petits poulpes, nettoyés
1 c. s. d'huile d'olive
1 c. s. de zeste de citron, finement râpé
1 gousse d'ail, émincée
1 concombre vert moyen

Vinaigrette aux herbes

60 ml d'huile d'olive
1 c. s. de zeste de citron, finement râpé
1 gousse d'ail, émincée
2 c. s. de jus de citron
2 c. s. de persil plat, grossièrement haché

1 Décortiquez les gambas sans retirer les queues. Ouvrez les calamars, entaillez la chair avec un couteau pointu, puis coupez-les en lanières de 4 cm de large. Coupez le corps des poulpes en morceaux (jetez les têtes).

2 Mélangez les fruits de mer avec l'huile d'olive, le zeste de citron et l'ail. Couvrez et laissez reposer au moins 30 minutes au réfrigérateur.

3 Faites griller les fruits de mer sur une plaque en fonte légèrement huilée ou au barbecue.

4 Avec un couteau économe, détaillez le concombre en rubans. Répartissez-le sur les assiettes de service, garnissez de fruits de mer grillés et arrosez de vinaigrette.

Vinaigrette aux herbes Mélangez tous les ingrédients dans un bocal muni d'un couvercle et secouez énergiquement.

Par portion lipides 14,7 g ; 296 kcal

Poisson à la milanaise

Pour 4 personnes.

PRÉPARATION 20 MINUTES • CUISSON 10 MINUTES

4 filets de poisson
1 petit oignon, émincé
2 c. s. de jus de citron
80 ml d'huile d'olive
farine
2 œufs
1 c. s. de lait
chapelure
1 c. s. d'huile d'olive supplémentaire
120 g de beurre
1 gousse d'ail, pilée
1 c. s. de persil frais, ciselé

1 Ôtez la peau et les arêtes des filets de poisson. Mélangez l'oignon, le jus de citron et l'huile dans un plat peu profond. Ajoutez les filets et recouvrez-les de marinade. Laissez-les reposer 1 heure en les tournant de temps en temps.

2 Sortez les filets de poisson de la marinade ; enrobez-les d'un peu de farine. Battez les œufs et le lait dans un petit bol, puis plongez les filets dans cette préparation. Enrobez-les de chapelure.

3 Faites chauffer le reste d'huile et la moitié du beurre dans une grande poêle. Faites dorer les filets de poisson, puis égouttez-les sur du papier absorbant.

4 Faites fondre le reste du beurre dans une casserole. Faites cuire l'ail jusqu'à ce que le beurre soit légèrement doré ; ajoutez le persil. Versez le beurre roux sur les filets de poisson.

Par portion lipides 52,4 g ; 622 kcal

Calamars frits

Pour 4 personnes.

PRÉPARATION 10 MINUTES • CUISSON 15 MINUTES

1 œuf
2 c. s. de lait
1 kg d'anneaux de calamars
200 g de chapelure
huile végétale pour la friture
quartiers de citron

1 Battez l'œuf et le lait dans un petit bol. Plongez les calamars dans cette préparation, puis secouez-les pour éliminer l'excédent de liquide. Enrobez-les de chapelure.

2 Faites frire les calamars en plusieurs fois dans un grand volume d'huile. Retirez-les à l'aide d'une écumoire et égouttez-les sur du papier absorbant. Servez chaud avec des quartiers de citron.

Par portion lipides 19,2 g ; 352 kcal

L'ASTUCE DU CHEF

On peut ajouter de l'ail pilé à la préparation aux œufs.

Fritto misto

Pour 6 personnes.

PRÉPARATION 35 MINUTES • CUISSON 15 MINUTES

500 g de grosses crevettes crues
500 g d'encornets
250 g de filets de poisson
250 g de noix de Saint-Jacques
huile végétale pour la friture

Pâte à frire

150 g de farine à levure incorporée
1/4 de c. c. de bicarbonate de soude
1 pincée de sel
250 ml d'eau

1 Décortiquez les crevettes en laissant les queues intactes ; retirez la veine centrale. Nettoyez les encornets et détaillez-les en anneaux fins. Débarrassez le poisson d'arêtes éventuelles et coupez-le en morceaux. Lavez les noix de Saint-Jacques.

2 Faites chauffer l'huile dans une grande casserole. Plongez les crevettes, les encornets, le poisson et les noix de Saint-Jacques dans la pâte. Égouttez-les pour éliminer l'excédent de pâte, puis faites-les frire en plusieurs fois dans de l'huile très chaude jusqu'à ce qu'ils soient bien dorés. Égouttez-les sur du papier absorbant. Servez aussitôt.

Pâte à frire Mélangez la farine, le bicarbonate de soude et le sel dans un petit bol. Ajoutez progressivement l'eau en remuant sans cesse, jusqu'à ce que la pâte soit bien lisse. Si elle vous semble trop épaisse, ajoutez un peu d'eau.

Par portion lipides 17,6 g ; 269 kcal

Gambas marinées

Pour 4 personnes.

PRÉPARATION 30 MINUTES • MARINADE 1 HEURE • CUISSON 10 MINUTES

1 kg de gambas crues
50 g de chapelure
6 gousses d'ail, pilées
125 ml d'huile d'olive
poivre du moulin
60 ml de jus de citron

1 Ôtez la tête des gambas, puis fendez-les avec des ciseaux de cuisine pour retirer la veine dorsale.

2 Mélangez la chapelure, l'ail et l'huile dans un récipient. Poivrez généreusement, puis ajoutez les gambas. Remuez bien pour que les gambas soient enrobées de marinade. Couvrez et laissez reposer 1 heure au réfrigérateur.

3 Faites griller les gambas sur une plaque en fonte ou au barbecue, en les retournant à mi-cuisson. Arrosez-les de jus de citron avant de servir.

Par portion lipides 39,8 g ; 416 kcal

Sardines à la sauce aux câpres

Pour 4 personnes.

PRÉPARATION 20 MINUTES • CUISSON 10 MINUTES

16 sardines fraîches, vidées, sans la tête
4 tomates olivettes, en tranches fines
1 petit oignon rouge, émincé
1 c. s. de persil plat, grossièrement haché

Sauce aux câpres

80 ml de vinaigre de vin rouge
60 ml d'huile d'olive
1 c. s. de câpres, égouttées
1 gousse d'ail, pilée
1 c. s. de persil, finement haché

Faites griller les sardines sur une plaque en fonte ou au barbecue, puis arrosez-les de sauce aux câpres. Mélangez les tomates et les oignons. Servez les sardines sur un lit de tomates aux oignons, après les avoir parsemées de persil.

Sauce aux câpres Mélangez tous les ingrédients jusqu'à obtention d'une sauce homogène.

Par portion lipides 33,9 g ; 487 kcal

Espadon grillé sauce au piment

Pour 4 personnes.

PRÉPARATION 5 MINUTES • CUISSON 8 MINUTES

1 c. s. d'huile d'olive aromatisée à l'ail
4 pavés d'espadon avec la peau

Sauce au piment

60 ml d'huile d'olive aromatisée à l'ail
1 1/2 c. s. de vinaigre de vin
1 c. c. de piment moulu
2 c. s. de persil plat, grossièrement haché

1 Faites chauffer l'huile dans une poêle antiadhésive et faites cuire le poisson côté chair jusqu'à ce qu'il se colore. Retournez les filets et poursuivez la cuisson jusqu'à ce que la peau soit dorée.

2 Servez le poisson assaisonné de sauce, avec des quartiers de citron et des légumes cuits à la vapeur.

Sauce au piment Mélangez tous les ingrédients dans une casserole et faites tiédir à feu doux sans laisser bouillir.

Par portion lipides 19,7 g ; 318 kcal

Cioppino

Pour 6 personnes.

PRÉPARATION 30 MINUTES • CUISSON 45 MINUTES

Le cioppino, qui nous vient de l'importante communauté de pêcheurs italiens de San Francisco, est une sorte de ragoût de la mer assez proche de la bouillabaisse. Vous pouvez remplacer l'espadon par un autre poisson à chair ferme.

2 petites araignées de mer, cuites
16 grosses crevettes crues
450 g d'espadon en filets
1 c. s. d'huile d'olive
1 oignon jaune moyen, grossièrement haché
2 branches de céleri, grossièrement hachées
3 gousses d'ail, pilées
6 tomates moyennes, grossièrement hachées
415 g de purée de tomates
125 ml de vin blanc sec
330 ml de fumet de poisson
1 c. c. de sucre
200 g de palourdes, nettoyées
200 g de noix de Saint-Jacques
2 c. s. de basilic frais, ciselé
4 c. s. de persil plat, grossièrement ciselé

1 Découpez les araignées en morceaux. Décortiquez les crevettes et ôtez la veine centrale en laissant la queue intacte. Découpez le poisson en cubes de 2 cm.
2 Faites chauffer l'huile dans une sauteuse ; faites revenir l'oignon, le céleri et l'ail en remuant jusqu'à ce que l'oignon soit fondant. Ajoutez les tomates ; faites cuire 5 minutes en remuant. Incorporez la purée de tomates, le vin, le fumet de poisson et le sucre. Laissez frémir à couvert pendant 20 minutes.
3 Ajoutez le crabe et les palourdes ; faites frémir pendant 10 minutes. Jetez les palourdes qui ne sont pas ouvertes. Ajoutez les crevettes, les poissons et les noix de Saint-Jacques ; laissez cuire environ 5 minutes en remuant de temps en temps. Incorporez le basilic et le persil. Servez aussitôt.

Par portion lipides 7,1 g ; 255 kcal

Suggestion Servez dans de grands bols, accompagné de pain croustillant.

Darnes de poisson aux herbes

Pour 4 personnes.

PRÉPARATION 5 MINUTES • CUISSON 7 MINUTES

4 darnes de poisson à chair blanche (cabillaud ou autre)
60 ml de jus de citron
125 ml d'huile d'olive
1 c. c. de sel
2 c. c. d'origan frais, finement haché
2 c. c. de romarin frais, finement haché

1 Faites griller le poisson sur une plaque en fonte légèrement graissée, en le retournant à mi-cuisson.
2 Pendant ce temps, mélangez le jus de citron, l'huile d'olive, le sel, l'origan et le romarin dans un bol.
3 Badigeonnez le poisson de sauce aux herbes et servez aussitôt.

Par portion lipides 32,9 g ; 460 kcal

Filets de sardines au parmesan

Pour 4 personnes.

PRÉPARATION 12 MINUTES • CUISSON 30 MINUTES

2 c. s. de lait
1 œuf
70 g de chapelure
60 g de parmesan, grossièrement râpé
16 sardines en filets
35 g de farine
huile végétale pour la friture

Sauce tomate

1 c. s. d'huile d'olive
1 gros oignon jaune, émincé
2 gousses d'ail, pilées
5 tomates moyennes, épépinées et grossièrement hachées
2 c. c. de sucre
80 ml de vin blanc sec
2 c. s. de feuilles de basilic, ciselées

1 Battez l'œuf et le lait dans un bol. Mélangez le parmesan et la chapelure dans un autre bol. Roulez les filets de sardines dans la farine, puis plongez-les dans le mélange œuf-lait avant de les enrober de chapelure au parmesan.

2 Faites chauffer de l'huile dans une sauteuse et faites frire les sardines en plusieurs fois ; quand elles sont dorées, égouttez-les sur du papier absorbant ; servez avec la sauce tomate fraîche.

Sauce tomate Dans une casserole moyenne, faites chauffer l'huile d'olive et faites revenir l'oignon et l'ail en remuant. Ajoutez les tomates, le sucre et le vin ; laissez frémir 20 minutes, jusqu'à épaississement. Ajoutez le basilic.

Par portion lipides 16,1 g ; 546 kcal

Suggestion Servez accompagné d'une salade verte et de quartiers de pommes de terre rôtis.

Gambas au risotto frit

Pour 4 personnes.

PRÉPARATION 30 MINUTES • RÉFRIGÉRATION 3 HEURES • CUISSON 50 MINUTES

24 gambas crues
125 ml d'huile d'olive
3 c. c. de zeste de citron
80 ml de jus de citron
1/2 c. c. de poivre noir concassé
2 c. s. d'aneth frais, ciselé
100 g de roquette

Risotto frit

60 ml d'huile d'olive
1 oignon jaune moyen, finement haché
200 g de riz arborio
125 ml de vin blanc sec
750 ml de bouillon de légumes, chaud
40 g de parmesan, finement râpé

1 Préparez les gambas en retirant les têtes et en gardant les queues intactes.

2 Dans un pichet, mélangez l'huile, le zeste de citron, le jus de citron, le poivre et l'aneth. Disposez les gambas dans un grand saladier et versez un tiers de cette sauce dessus. Laissez reposer au réfrigérateur pendant que vous préparez le risotto

3 Dans une grande sauteuse, faites revenir les gambas pendant 3 minutes. Servez les gambas sur un lit de roquette et accompagnées de risotto frit ; assaisonnez avec le reste de marinade.

Risotto frit Graissez un moule carré de 23 cm de côté et chemisez le fond et deux bords opposés de papier sulfurisé en laissant ce dernier dépasser du moule. Faites chauffer 1 cuillerée à soupe d'huile dans une casserole et faites revenir l'oignon, puis ajoutez le riz en remuant bien. Mélangez le vin et le bouillon dans une casserole et laissez frémir sur le feu. Quand le mélange est bien chaud, versez-en un quart sur le riz et faites cuire le tout sans cesser de remuer, jusqu'à ce que tout le liquide soit absorbé. Continuez de mouiller en plusieurs fois jusqu'à ce qu'il ne reste plus de bouillon. Quand le riz est cuit, incorporez le parmesan, mélangez bien, puis étalez le riz dans le moule en lissant la surface avec une spatule. Laissez reposer 3 heures au réfrigérateur. Au moment de servir, démoulez le risotto et coupez-le en triangles. Faites chauffer le reste d'huile dans une sauteuse et faites revenir les triangles de riz pour les faire dorer des deux côtés. Égouttez sur du papier absorbant avant de servir.

Par portion lipides 51 g ; 875 kcal

Les viandes

La viande produite en Italie est de très bonne qualité. Si les Italiens apprécient l'agneau, le porc et le bœuf, le veau reste la viande la plus consommée, en ragoût ou en escalopes, accommodé de sauces variées. Vous trouverez ici des recettes typiques de la tradition italienne, à servir avec des légumes ou des pâtes.

Veau à la sauce au thon

Pour 6 personnes.

PRÉPARATION 40 MINUTES • CUISSON 1 H 30

1,5 kg de noix de veau
45 g de filets d'anchois en conserve, égouttés
1 gousse d'ail, émincée
2 carottes moyennes, en fines rondelles
3 branches de céleri parées, coupées finement
2 oignons moyens, coupés en quatre
6 brins de persil
1,25 l de bouillon de poule
375 ml de vin blanc sec
1 1/2 c. s. de câpres

Sauce au thon

180 ml d'huile végétale
1 jaune d'œuf
100 g de thon en conserve, égoutté
2 c. s. de jus de citron
60 ml de crème fraîche

1 Avec la pointe d'un couteau, pratiquez des entailles peu profondes sur la longueur de la noix de veau. Coupez 4 filets d'anchois en tronçons de 1 cm ; réservez les autres. Insérez les anchois et l'ail dans les fentes de la viande. Mettez le veau dans une casserole ; couvrez-le d'eau froide. Portez à ébullition et laissez bouillir 1 minute, sans couvrir. Égouttez bien la viande et jetez l'eau.
2 Remettez le veau dans la casserole avec les carottes, le céleri, les oignons, le persil, le bouillon et le vin ; portez à ébullition. Baissez le feu, puis laissez mijoter 1 h 30, jusqu'à ce que le veau soit tendre. Sortez la viande et laissez-la refroidir. Réservez 75 ml de bouillon pour la sauce.
3 Coupez le veau en tranches fines. Plongez ces dernières dans la sauce et disposez-les sur un plat de service en les faisant se chevaucher. Garnissez de câpres et servez le reste de sauce à part.

Sauce au thon Recouvrez d'eau les filets d'anchois restants et laissez tremper 10 minutes. Égouttez-les, puis séchez-les avec du papier absorbant. Mettez l'huile, le jaune d'œuf, le thon, les anchois et le jus de citron dans un bol. Mixez le tout jusqu'à obtention d'un mélange homogène. Transférez la sauce dans un petit bol ; ajoutez la crème et le bouillon réservé. Réchauffez rapidement sans laisser bouillir.

Par portion lipides 39,4 g ; 666 kcal

Escalopes de veau à la crème

Pour 4 personnes.

PRÉPARATION 20 MINUTES • CUISSON 20 MINUTES

4 escalopes de veau
30 g de beurre
1 petit oignon, émincé
60 ml de xérès
2 c. c. de farine
125 ml de bouillon de bœuf
125 g de champignons de Paris, émincés
2 c. s. de crème fraîche

1 Parez le veau et aplatissez-le avec un maillet à viande.
2 Faites fondre le beurre dans une poêle et faites dorer les escalopes 3 minutes sur chaque face. Sortez la viande de la poêle et faites blondir l'oignon quelques minutes. Ajoutez le xérès.
3 Délayez la farine dans le bouillon et versez ce mélange dans la poêle. Portez à ébullition.
4 Remettez la viande dans la poêle. Ajoutez les champignons, mélangez et couvrez. Laissez mijoter 10 minutes à feu doux. Incorporez la crème et servez aussitôt.

Par portion lipides 13,8 g ; 288 kcal

Porc braisé à la sauge

Pour 6 personnes.

PRÉPARATION 15 MINUTES • CUISSON 1 H 30

90 g de beurre
1,5 kg de carré de porc (6 côtes)
2 carottes, coupées en rondelles épaisses
6 petits oignons, pelés
4 gousses d'ail, pelées
2 feuilles de laurier
6 branches de thym frais
330 ml de vin blanc sec

Sauce à la sauge

15 g de beurre
1 c. s. de farine
1 c. s. de sauge fraîche

1 Faites fondre le beurre dans une sauteuse et faites dorer le porc de toutes parts. Retirez-le. Préchauffez le four à 170 °C.

2 Mettez les carottes, les oignons, l'ail, les feuilles de laurier et le thym dans la sauteuse et faites-les revenir pendant 5 minutes, en remuant. Remettez la viande dans la sauteuse et versez le vin. Grattez le fond avec une cuillère en bois pour récupérer les sucs de cuisson. Transférez le tout dans un plat en terre et laissez cuire 1 h 15 au four. Retirez la viande du plat et réservez-la au chaud.

3 Retirez les légumes avec une écumoire et versez le jus de cuisson dans une casserole pour préparer la sauce.

4 Découpez la viande et servez-la avec la sauce. En accompagnement, proposez des légumes rôtis (tomates et pommes de terre, par exemple).

Sauce à la sauge Portez à ébullition le jus de cuisson réservé, puis incorporez le beurre et la farine en remuant sans cesse. Portez de nouveau à ébullition jusqu'à épaississement, puis ajoutez les feuilles de sauge.

Par portion lipides 35,6 g ; 490 kcal

L'ASTUCE DU CHEF

Demandez à votre boucher de retirer la couenne du porc. Salez-la et faites-la griller au four, jusqu'à ce qu'elle soit dorée et croustillante. Servez avec les tranches de porc.

Boulettes de viande aux champignons et aux épices

Pour 4 personnes.

PRÉPARATION 15 MINUTES • CUISSON 20 MINUTES

500 g de porc et de veau, hachés
70 g de chapelure
2 c. s. d'origan frais, haché
3 gousses d'ail, pilées
95 g de purée de tomates
1 œuf, légèrement battu
1 c. s. d'huile d'olive
250 g de champignons de Paris, émincés
850 g de tomates entières en conserve
60 ml de sauce aux piments

1 Préchauffez le four à 170 °C. Mélangez la viande hachée, la chapelure, l'origan, l'ail, la purée de tomates et l'œuf dans un récipient. Façonnez des boulettes de la taille d'une grosse noix, puis disposez-les sur une plaque de cuisson légèrement graissée et faites-les cuire 15 minutes au four.

2 Pendant ce temps, faites chauffer l'huile dans une sauteuse et faites revenir les champignons, jusqu'à ce qu'ils soient juste tendres. Ajoutez les tomates avec leur jus et la sauce aux piments. Portez à ébullition, puis laissez mijoter 5 minutes sans couvrir. Transférez les boulettes de viande dans cette sauce et poursuivez la cuisson 2 minutes sans cesser de remuer.

Par portion lipides 16,4 g ; 394 kcal

Agneau à la calabraise

Pour 6 personnes.

PRÉPARATION 10 MINUTES • CUISSON 2 HEURES

2 poivrons rouges
2 poivrons jaunes
60 ml d'huile d'olive
1,5 kg de collier d'agneau
2 oignons, émincés
3 gousses d'ail, pilées
425 g de tomates entières en conserve
250 ml de vin rouge sec
2 c. s. de bouillon de poule
2 c. s. de purée de tomates
1 c. s. d'origan frais, finement haché

Crème de polenta

1,25 l d'eau
250 g de polenta
50 g de beurre
40 g de parmesan, grossièrement râpé
180 ml de crème fraîche
60 ml de bouillon de poule

1 Coupez les poivrons en deux, éliminez les pépins et les membranes, puis coupez chaque moitié en quatre.

2 Faites chauffer la moitié de l'huile dans une poêle et faites dorer l'agneau en plusieurs fois. Faites chauffer le reste de l'huile dans une sauteuse et faites revenir les oignons, l'ail et les poivrons.

3 Mettez la viande dans la sauteuse. Ajoutez les tomates avec leur jus, le vin, le bouillon, la purée de tomates et l'origan. Portez à ébullition, couvrez, puis laissez mijoter 1 h 30. Retirez le couvercle de la sauteuse et poursuivez la cuisson 1 heure à feu doux. Retirez le collier d'agneau, enlevez la ficelle et maintenez-le au chaud.

4 Portez à ébullition la sauce de cuisson, puis laissez mijoter 20 minutes pour la faire épaissir. Remettez l'agneau dans la sauteuse pour le réchauffer rapidement.

5 Servez l'agneau avec la sauce et la crème de polenta.

Crème de polenta Portez à ébullition l'eau dans une casserole. Baissez le feu et versez la polenta en pluie fine, en remuant sans cesse. Laissez cuire 30 minutes sans cesser de remuer. Ajoutez le beurre, le parmesan, la crème et le bouillon de poule. Mélangez sur le feu. Servez aussitôt.

Par portion lipides 41,5 g ; 705 kcal

Osso-buco

Pour 6 personnes.

PRÉPARATION 30 MINUTES • CUISSON 2 HEURES

90 g de beurre
2 carottes moyennes, en fines rondelles
2 gros oignons, émincés
3 branches de céleri parées, coupées finement
2 gousses d'ail, pilées
2 kg de jarret de veau, en cubes
farine
2 c. s. d'huile d'olive
800 g de tomates entières en conserve
125 ml de vin rouge sec
430 ml de bouillon de bœuf
1 c. s. de basilic frais, ciselé
1 c. c. de thym frais, ciselé
1 feuille de laurier
1 zeste de citron, en lanières
50 g de persil frais, ciselé
1 c. c. de zeste de citron, râpé

1 Faites chauffer 30 g de beurre dans une grande casserole et faites revenir les carottes, les oignons, le céleri et la moitié de l'ail. Retirez du feu et transférez les légumes dans un plat allant au four.
2 Enrobez le veau de farine. Faites chauffer le reste de beurre et l'huile dans une casserole et faites dorer la viande sur toutes les faces. Disposez les morceaux de veau sur les légumes.
3 Retirez la graisse de la casserole. Ajoutez les tomates avec leur jus, le vin, le bouillon, le basilic, le thym, la feuille de laurier et le zeste de citron en lanières ; portez à ébullition.
4 Versez la sauce sur le veau. Couvrez et faites cuire 1 h 30 à four moyen, jusqu'à ce que le veau soit très tendre. Dans un bol, mélangez le persil, le zeste de citron râpé et le reste d'ail. Garnissez le plat de ce mélange et servez aussitôt.

Par portion lipides 20,5 g ; 334 kcal

Suggestion Ce plat est servi traditionnellement avec un risotto à la milanaise.

Steaks au poivre et aux oignons caramélisés

Pour 4 personnes.

PRÉPARATION 10 MINUTES • CUISSON 20 MINUTES

1 c. c. de poivre noir, concassé
2 c. s. de persil frais, finement haché
4 steaks de bœuf dans le filet
60 ml d'huile d'olive
2 gros oignons, émincés
2 c. s. de vinaigre balsamique
1 c. s. de tomates séchées à l'huile, égouttées
2 gousses d'ail, pilées

1 Garnissez les steaks de poivre et de persil en frottant bien pour faire adhérer. Couvrez et laissez reposer pendant la cuisson des oignons.

2 Faites chauffer 1 cuillerée à soupe d'huile dans une sauteuse et faites revenir les oignons pendant 10 minutes, jusqu'à ce qu'ils commencent à brunir. Ajoutez 1 cuillerée à soupe de vinaigre et poursuivez la cuisson 5 minutes, sans cesser de remuer, jusqu'à caramélisation. Réservez au chaud. Mélangez le reste d'huile et de vinaigre, les tomates et l'ail dans un bol.

3 Faites griller les steaks à votre convenance. Disposez-les sur les assiettes de service chaudes, nappés d'oignons caramélisés et arrosés de sauce à l'ail et à la tomate.

Par portion lipides 28 g ; 450 kcal

Braciole au prosciutto et au fromage

Pour 4 personnes.

PRÉPARATION 30 MINUTES • CUISSON 1 H 45

Dans le sud de l'Italie, les braciole sont des fines tranches de viande (bœuf, veau ou porc) roulées autour d'une farce et cuites dans une sauce.

8 steaks de bœuf très fins
4 gousses d'ail, pilées
8 tranches de prosciutto
200 g de provolone fumé, coupé en huit tranches
50 g de chapelure
farine
60 ml d'huile d'olive
1 oignon blanc, émincé
425 g de tomates entières en conserve
250 ml d'eau
2 c. s. de purée de tomates
60 ml de vin rouge

1 Disposez les steaks sur une planche à découper, aplatissez-les légèrement avec un maillet à viande, puis enduisez-les d'ail. Mettez 1 tranche de prosciutto et 1 tranche de provolone sur chaque steak. Ajoutez 1 cuillerée à soupe de chapelure au centre. Roulez le steak pour enfermer la garniture, maintenez-le avec de la ficelle de cuisine, puis passez-le dans la farine.

2 Faites chauffer l'huile dans une sauteuse et faites dorer les braciole sur toutes les faces. Retirez-les de la sauteuse. Faites revenir l'oignon dans la sauteuse à feu doux, jusqu'à ce qu'il soit tendre. Ajoutez les tomates avec leur jus, l'eau, la purée de tomates et le vin. Portez à ébullition. Couvrez, baissez le feu et laissez mijoter 20 minutes.

3 Retirez le couvercle, ajoutez les braciole et laissez mijoter 15 minutes, jusqu'à épaississement de la sauce. Servez aussitôt.

Par portion lipides 48,6 g ; 854 kcal

L'astuce du chef

Cette recette est plus savoureuse si elle est préparée à l'avance. Réchauffez-la au four 45 minutes à feu très doux.

Steaks aux légumes grillés

Pour 6 personnes.

PRÉPARATION 10 MINUTES • CUISSON 1 H 20

2 poivrons rouges
2 mini-aubergines
2 courgettes
6 steaks dans le filet
2 c. s. d'huile d'olive
60 ml de tapenade

1 Coupez les poivrons en quatre, puis retirez les pépins et les membranes. Faites-les griller au four, jusqu'à ce que la peau noircisse. Mettez-les dans un récipient, couvrez et laissez reposer 5 minutes. Pelez-les et coupez-les en fines lanières. Coupez les aubergines en rondelles de 2 cm. Coupez les courgettes dans la longueur, en tranches de 1 cm d'épaisseur.

2 Faites griller les steaks et les légumes séparément, au barbecue ou sur deux plaques en fonte.

3 Disposez les steaks sur les assiettes de service chaudes, garnissez de légumes grillés et de tapenade. Servez aussitôt.

Par portion lipides 21,8 g ; 407 kcal

Escalopes de porc aux poivrons

Pour 4 personnes.

PRÉPARATION 10 MINUTES • CUISSON 1 H 10

4 tranches de porc dans le filet
1/2 c. c. de poivre noir, concassé
1/2 c. c. d'origan séché
2 c. c. d'huile d'olive
1 c. c. de farine de Maïzena
250 ml de bouillon de poule
2 c. c. de vin rouge

Salade de poivrons chauds

2 poivrons jaunes
2 tomates
90 g de champignons de Paris
1/4 c. c. d'origan séché
4 gousses d'ail, pilées
2 c. s. d'huile d'olive
16 olives noires, dénoyautées
2 c. s. de parmesan, râpé

1 Saupoudrez le porc de poivre et d'origan. Faites chauffer l'huile dans une sauteuse et faites cuire le porc jusqu'à ce qu'il soit tendre, en le retournant à mi-cuisson. Retirez la viande de la sauteuse.

2 Ajoutez la Maïzena tamisée et le bouillon dans la sauteuse. Portez à ébullition en remuant bien pour éviter la formation de grumeaux. Quand le mélange a épaissi, versez le vin et remettez la viande. Laissez mijoter jusqu'à ce qu'elle soit chaude et bien imprégnée de sauce.

3 Servez avec la salade de poivrons chauds.

Salade de poivrons chauds Coupez les poivrons en quatre, puis retirez les pépins et les membranes. Disposez les poivrons, les tomates et les champignons sur une plaque de cuisson préalablement huilée. Saupoudrez les légumes d'origan et d'ail, puis arrosez-les d'huile. Faites rôtir 40 minutes à four chaud, puis ajoutez les olives et parsemez le tout de parmesan râpé. Poursuivez la cuisson 15 minutes jusqu'à ce que les poivrons soient tendres.

Par portion lipides 11,7 g ; 296 kcal

Foie de veau au citron et aux câpres

Pour 4 personnes.

PRÉPARATION 10 MINUTES • CUISSON 10 MINUTES

500 g de foie de veau
1 c. s. d'huile d'olive
60 g de beurre
60 ml de jus de citron
1/2 c. c. de sucre
1 c. s. de câpres
1 c. s. de persil plat frais

1 Coupez le foie en fines tranches.
2 Faites chauffer l'huile et la moitié du beurre dans une sauteuse. Saisissez le foie à feu vif, puis retirez-le de la sauteuse.
3 Ajoutez le jus de citron, le sucre et le reste de beurre dans la sauteuse. Faites chauffer à feu moyen en grattant les sucs de cuisson avec une cuillère en bois. Quand le beurre est fondu, remettez le foie dans la sauteuse avec les câpres et le persil. Laissez cuire jusqu'à ce que le foie soit à votre convenance.

Par portion lipides 27,6 g ; 367 kcal

Gratin de veau au parmesan

Pour 4 personnes.

PRÉPARATION 35 MINUTES • CUISSON 1 H 20

4 escalopes de veau
farine
1 œuf
1 c. s. d'eau
chapelure
30 g de beurre
80 ml d'huile d'olive
250 g de mozzarella, râpée
60 g de parmesan, râpé

Sauce tomate

1 c. s. d'huile d'olive
1 oignon moyen, émincé
1 branche de céleri, parée et émincée
1 poivron rouge moyen, émincé
1 gousse d'ail, pilée
410 g de tomates entières en conserve
2 c. c. de sucre
1 c. s. de concentré de tomate
375 ml de bouillon de poule
1 c. s. de persil frais, ciselé
1 c. s. de basilic frais, ciselé

1 Aplatissez le veau en tranches très fines. Enrobez-le de farine, trempez-le dans l'œuf mélangé à l'eau, puis enrobez-le de chapelure. Conservez la viande au réfrigérateur pendant que vous préparez la sauce tomate.

2 Faites chauffer le beurre et la moitié de l'huile dans une grande poêle et faites dorer le veau de toutes parts. Disposez-le dans un plat allant au four ; garnissez de mozzarella et nappez de sauce tomate.

3 Recouvrez de parmesan, puis versez le reste d'huile en filet. Faites cuire 20 minutes à four moyen, sans couvrir.

Sauce tomate Faites chauffer l'huile dans une poêle et faites revenir l'oignon, le céleri, le poivron et l'ail. Passez les tomates avec leur jus dans un tamis fin. Versez cette purée dans la poêle avec le sucre, le concentré de tomate et le bouillon. Couvrez et portez à ébullition. Baissez le feu et laissez mijoter 30 minutes à couvert. Retirez le couvercle et portez de nouveau à ébullition, jusqu'à épaississement. Ajoutez le persil et le basilic.

Par portion lipides 52,8 g ; 793 kcal

Les volailles

L'élevage familial de volailles et de lapins reste une tradition bien ancrée dans la campagne italienne. Ces viandes blanches s'accommodent facilement, en sauce ou grillées, avec des herbes et des aromates. Nous avons également inclus des recettes pour préparer le canard ou les cailles.

Poulet sauté à la gremolata

Pour 4 personnes.

PRÉPARATION 25 MINUTES • CUISSON 1 H 45

8 hauts de cuisse de poulet
35 g de farine
2 c. s. d'huile d'olive
1 gros poireau, en tranches épaisses
2 gousses d'ail, pilées
2 c. s. de concentré de tomate
625 ml de bouillon de poule
125 ml de vin blanc
400 g de tomates concassées en conserve
3 branches de céleri, parées et coupées grossièrement
2 carottes moyennes, coupées grossièrement

Gremolata

1 citron moyen
60 g de persil, haché
2 gousses d'ail, émincées

1 Ôtez la peau du poulet. Réservez 1 cuillerée à soupe de farine et roulez les morceaux de poulet dans le reste de farine en les secouant pour éliminer l'excédent. Faites chauffer la moitié de l'huile dans une casserole et faites dorer le poulet de toutes parts. Réservez.

2 Faites chauffer le reste de l'huile et faites revenir le poireau avec l'ail en remuant. Ajoutez la farine réservée et le concentré de tomate. Faites cuire 1 minute en remuant bien. Incorporez le bouillon, le vin et les tomates avec leur jus. Portez à ébullition.

3 Remettez le poulet dans la casserole. Couvrez et laissez mijoter 1 h 15. Ajoutez le céleri et les carottes. Prolongez la cuisson à feu doux pendant 20 minutes, jusqu'à ce que les légumes soient tendres. Garnissez de gremolata et servez aussitôt.

Gremolata À l'aide d'un économe, prélevez la peau du citron. Coupez-la en fines lanières, puis hachez-la finement. Mélangez le citron, le persil et l'ail dans un petit bol. Remuez bien.

Par portion lipides 15,6 g ; 471 kcal

Suggestion Servez avec du riz cuit à la vapeur.

Ragoût de poulet à la pancetta

Pour 8 personnes.

PRÉPARATION 25 MINUTES • CUISSON 1 H 20

2 kg de hauts de cuisse de poulet
2 c. s. d'huile d'olive
12 tranches de pancetta
2 oignons moyens, émincés
2 gousses d'ail, pilées
800 g de tomates entières en conserve
80 g de concentré de tomate
250 ml de vin blanc sec
500 ml de bouillon de poule
2 carottes moyennes, coupées grossièrement
60 g de persil, finement haché

1 Ôtez la peau du poulet et jetez-la.
2 Faites chauffer la moitié de l'huile dans une grande casserole et faites dorer le poulet de toutes parts. Réservez.
3 Coupez les tranches de pancetta en deux. Faites chauffer le reste de l'huile dans la même casserole ; faites revenir les oignons avec l'ail et la pancetta en remuant bien.
4 Ajoutez les tomates écrasées avec leur jus, le concentré de tomate, le vin, le bouillon et le poulet ; portez à ébullition. Laissez mijoter 30 minutes sans couvrir. Incorporez les carottes ; laissez mijoter encore 30 minutes jusqu'à ce que les carottes soient tendres. Parsemez de persil au moment de servir.

Par portion lipides 17,4 g ; 396 kcal

Suggestion Servez avec des petites pommes de terre nouvelles à la vapeur ou des pâtes.

Cailles sautées à la polenta

Pour 4 personnes.

PRÉPARATION 25 MINUTES • MARINADE 3 HEURES • CUISSON 55 MINUTES

8 cailles
2 c. c. d'huile d'olive
5 tranches de pancetta, coupées en gros morceaux
1 c. s. de pignons de pin
60 ml de brandy
40 g de raisins secs
430 ml de bouillon de poule

Marinade

125 ml d'huile d'olive
1 c. s. de romarin frais, grossièrement haché
2 c. c. de thym frais, grossièrement haché
1 c. s. de zeste de citron, finement râpé

Polenta

375 ml de bouillon de poule
85 g de polenta
30 g de beurre, fondu
20 g de parmesan, râpé
huile d'olive

1 Retirez le cou des cailles. Coupez les cailles de part et d'autre de la colonne vertébrale et jetez celle-ci. Essuyez l'intérieur avec du papier absorbant.

2 Mettez les cailles dans un grand plat. Versez la marinade, couvrez et laissez reposer 3 heures au réfrigérateur. Pendant ce temps, préparez la polenta (voir plus bas).

3 Égouttez les cailles. Faites chauffer l'huile dans une sauteuse et faites-les cuire 5 minutes en couvrant. Retournez-les et poursuivez la cuisson pendant 7 minutes, jusqu'à coloration. Retirez-les de la sauteuse et gardez-les au chaud dans le four à température moyenne.

4 Mettez la pancetta et les pignons de pin dans la sauteuse et faites dorer 2 minutes en remuant. Ajoutez le brandy et les raisins secs et poursuivez la cuisson pendant 2 minutes, jusqu'à réduction du liquide de moitié. Versez le bouillon, couvrez et laissez mijoter 5 minutes, jusqu'à épaississement.

5 Servez les cailles nappées de sauce avec des quartiers de polenta frite.

Marinade Mélangez tous les ingrédients dans un récipient.

Polenta Portez le bouillon à ébullition dans une casserole et versez la polenta en pluie fine. Baissez le feu et laissez mijoter 10 minutes, en remuant sans cesse, jusqu'à épaississement. Ajoutez le beurre et le parmesan et poursuivez la cuisson jusqu'à ce que la polenta soit bien ferme. Versez la polenta dans un grand plat rectangulaire et laissez reposer 3 heures au réfrigérateur. Démoulez la polenta et coupez-la en triangles. Faites chauffer l'huile d'olive dans une sauteuse et faites frire les morceaux de polenta.

Par portion lipides 87,7 g ; 1 164 kcal

Brochettes de poulet au citron et aux artichauts

Pour 4 personnes.

PRÉPARATION 20 MINUTES • CUISSON 10 MINUTES

3 citrons
2 gousses d'ail, pilées
60 ml d'huile d'olive
600 g de blancs de poulet, coupés en cubes
800 g de cœurs d'artichauts marinés, égouttés et coupés en deux
24 champignons de Paris

1 Pressez 1 citron et versez 2 cuillerées à soupe de jus dans un bol. Ajoutez l'ail et l'huile. Mélangez énergiquement.

2 Coupez les deux citrons restants en 24 morceaux. Enfilez les cubes de poulet, les cœurs d'artichaut, les champignons et les morceaux de citron sur 12 brochettes.

3 Faites cuire les brochettes sur un gril en fonte ou au barbecue, en les badigeonnant régulièrement de jus de citron à l'huile et à l'ail. Servez aussitôt.

Par portion lipides 22,6 g ; 366 kcal

Poulet au marsala

Pour 4 personnes.

PRÉPARATION 15 MINUTES • CUISSON 15 MINUTES

60 g de beurre
4 blancs de poulet
1 gousse d'ail, pilée
4 tranches de mozzarella
12 câpres, égouttées
4 filets d'anchois, égouttés
1 c. s. de persil frais, ciselé
60 ml de marsala
160 ml de crème fraîche

1 Faites fondre le beurre dans une grande poêle et faites dorer le poulet avec l'ail. Sortez-le de la poêle et disposez 1 tranche de mozzarella, 3 câpres et 1 filet d'anchois sur chaque blanc de poulet ; saupoudrez de persil.

2 Remettez le poulet dans la poêle. Couvrez et faites-le cuire à feu moyen. Disposez le poulet sur un plat de service et gardez-le au chaud.

3 Versez le marsala dans la poêle et faites cuire à feu vif en grattant le fond avec une cuillère en bois. Baissez le feu, puis ajoutez la crème. Laissez mijoter quelques minutes à feu doux, sans couvrir, jusqu'à ce que la sauce épaississe. Nappez le poulet de sauce et servez aussitôt.

Par portion lipides 44,8 g ; 617 kcal

Poulet chasseur

Pour 4 personnes.

PRÉPARATION 30 MINUTES • CUISSON 1 H 20

2 c. s. d'huile d'olive
1,5 kg de poulet, en morceaux
1 oignon moyen, émincé
1 gousse d'ail, pilée
125 ml de vin blanc sec
1 1/2 c. s. de vinaigre
125 ml de bouillon de poule
410 g de tomates entières en conserve
1 c. s. de concentré de tomate
1 c. c. de basilic frais, ciselé
1 c. c. de sucre
3 filets d'anchois, émincés
60 ml de lait
60 g d'olives noires, dénoyautées et coupées en deux
1 c. s. de persil frais, ciselé

1 Faites chauffer l'huile dans une grande poêle et faites dorer le poulet sur toutes les faces. Mettez-le dans un plat allant au four.

2 Gardez 1 cuillerée à soupe de jus de cuisson dans la poêle et jetez le reste. Ajoutez l'oignon et l'ail et faites revenir le tout. Versez le vin et le vinaigre et laissez bouillir jusqu'à ce que la sauce ait réduit de moitié. Ajoutez le bouillon et faites cuire à feu vif 2 minutes. Passez les tomates avec leur jus dans un tamis fin et versez la purée obtenue dans la poêle. Ajoutez le concentré de tomate, le basilic et le sucre. Prolongez la cuisson pendant 1 minute.

3 Versez la sauce tomate sur les morceaux de poulet. Couvrez et faites cuire 1 heure à four moyen.

4 Faites tremper les anchois 5 minutes dans le lait, puis égouttez-les sur du papier absorbant. Disposez les morceaux de poulet dans un plat de service et réservez au chaud. Versez la sauce dans une casserole moyenne. Faites bouillir 1 minute, puis ajoutez les anchois, les olives et le persil ; prolongez la cuisson 1 minute. Versez la sauce sur les morceaux de poulet. Garnissez avec le reste du persil ciselé.

Par portion lipides 42,2 g ; 615 kcal

Lapin sauté au vin blanc et au romarin

Pour 4 personnes.

PRÉPARATION 20 MINUTES • CUISSON 2 H 10

2 lapins
60 ml d'huile d'olive
1 poireau, émincé
2 branches de céleri, parées et émincées
2 gousses d'ail, pilées
35 g de farine
625 ml de bouillon de poule
125 ml de vin blanc sec
1 c. s. de romarin frais
200 g de champignons de Paris
2 courgettes, coupées en fines rondelles
1 c. s. de persil frais, finement haché

1 Coupez les lapins en morceaux. Faites chauffer 1 cuillerée à soupe d'huile dans une sauteuse et faites dorer les morceaux de lapin. Retirez-les de la sauteuse et égouttez-les sur du papier absorbant. Faites chauffer le reste d'huile dans la sauteuse et faites revenir le poireau, le céleri et l'ail.

2 Ajoutez la farine et remuez bien. Retirez du feu et versez progressivement le bouillon et le vin, sans cesser de remuer pour éviter la formation de grumeaux. Remettez sur le feu et laissez épaissir à feu moyen. Ajoutez les morceaux de lapin et le romarin, couvrez et laissez mijoter 1 h 30, jusqu'à ce que la viande soit tendre.

3 Ajoutez les champignons et les courgettes. Continuez la cuisson à feu moyen pendant 20 minutes. Quand les légumes sont cuits, retirez du feu, ajoutez le persil et servez aussitôt.

Par portion lipides 32 g ; 856 kcal

Blancs de poulet panés au parmesan

Pour 4 personnes.

PRÉPARATION 25 MINUTES • CUISSON 20 MINUTES

140 g de chapelure
25 g de parmesan, finement râpé
2 c. s. de persil plat frais, finement haché
12 aiguillettes de poulet
110 g de farine
2 œufs, légèrement battus
250 g de frisée
150 g de feuilles de roquette

Vinaigrette au basilic

40 g de basilic
125 ml d'huile d'olive
60 ml de jus de citron
1 gousse d'ail, pilée

1 Préchauffez le four à température moyenne.
2 Mélangez la chapelure, le fromage et le persil dans un saladier. Roulez les aiguillettes de poulet dans la farine, puis secouez-les délicatement pour enlever l'excédent. Trempez-les ensuite dans les œufs battus, puis dans le mélange de chapelure. Déposez-les sur une plaque de four huilée et faites-les cuire à four moyen pendant 20 minutes, jusqu'à ce qu'elles soient légèrement dorées.
3 Servez le poulet avec une salade de frisée et de roquette assaisonnée avec la vinaigrette au basilic.

Vinaigrette au basilic Mixez tous les ingrédients jusqu'à obtention d'une sauce homogène.

Par portion lipides 43,8 g ; 756 kcal

L'ASTUCE DU CHEF

Préparez vous-même la chapelure avec du pain rassis émietté. Ajoutez ensuite le fromage et le persil, puis mixez le tout très rapidement (un ou deux tours de mixeur suffisent).

Canard braisé à la sauge et au romarin

Pour 4 personnes.

PRÉPARATION 30 MINUTES • CUISSON 4 HEURES

2 c. s. de sauge fraîche, finement hachée
2 c. s. de romarin frais, finement haché
2 c. c. de sel
6 gousses d'ail, pilées
2 c. s. d'huile d'olive
1 canard
3 oignons blancs, en gros morceaux
2 carottes, en grosses rondelles
3 tomates, en gros morceaux
250 ml de vin rouge
125 ml de bouillon de poule

1 Mélangez les herbes, le sel, l'ail et la moitié de l'huile dans un récipient.

2 Farcissez le canard avec la moitié des oignons en les faisant glisser à l'intérieur par la cavité du cou. Introduisez de la même façon la moitié du mélange aux herbes. Liez les ailes et les pattes du canard avec de la ficelle.

3 Préchauffez le four à 150 °C. Faites chauffer le reste d'huile dans une sauteuse et faites revenir le reste des oignons, les carottes et les tomates. Versez le vin et le bouillon. Portez à ébullition, puis retirez du feu et ajoutez le reste de farce aux herbes.

4 Versez le contenu de la sauteuse dans une cocotte en fonte. Ajoutez le canard sur les légumes, couvrez et faites cuire 3 h 30 au four. Arrosez régulièrement la volaille avec son jus de cuisson.

5 Retirez le canard du plat et placez-le sur la grille du four. Faites-le dorer 30 minutes au four, jusqu'à ce que la peau soit croustillante.

6 Pendant ce temps, retirez les légumes du plat. Passez le jus de cuisson au tamis fin, au-dessus d'une casserole. Réchauffez-le et nappez-en le canard au moment de servir.

Par portion lipides 93,8 g ; 1 060 kcal

Poulet grand-mère

Pour 4 personnes.

PRÉPARATION 15 MINUTES • CUISSON 1 H 30

2 c. s. d'huile végétale
1 oignon brun, émincé
2 gousses d'ail, pilées
4 cuisses de poulet
4 blancs de poulet
4 branches de romarin
4 pommes de terre, en gros morceaux
2 tomates, en gros morceaux
125 ml de bouillon de poule
150 g de champignons de Paris
4 tranches de bacon, grossièrement hachées
80 g d'olives noires

1 Préchauffez le four à 180 °C. Faites chauffer l'huile dans une sauteuse et faites revenir l'oignon et l'ail. Ajoutez le poulet et laissez dorer de toutes parts.

2 Transférez ce mélange dans un plat allant au four. Incorporez le romarin, les pommes de terre, les tomates et le bouillon. Faites cuire le poulet 1 heure au four. Quand la viande est presque à point, ajoutez les champignons, le bacon et les olives. Poursuivez la cuisson pendant 20 minutes, jusqu'à ce que le poulet soit tendre.

Par portion lipides 45,5 g ; 745 kcal

Poulet grillé aux fèves

Pour 4 personnes.

PRÉPARATION 15 MINUTES • CUISSON 20 MINUTES

750 g de fèves fraîches, écossées
1 c. s. d'huile d'olive
1 oignon rouge, émincé
2 gousses d'ail, pilées
2 tomates, grossièrement coupées
2 c. s. de persil frais, grossièrement haché
4 blancs de poulet

Beurre de ciboulette

60 g de beurre
2 c. s. de ciboulette fraîche

1 Faites cuire les fèves à l'eau ou à la vapeur, jusqu'à ce qu'elles soient tendres. Laissez-les refroidir et retirez la peau.
2 Faites chauffer l'huile dans une sauteuse et laissez revenir l'oignon à feu très doux pour le faire légèrement caraméliser. Ajoutez l'ail et les fèves, puis remuez délicatement sur le feu pour les réchauffer. Incorporez les tomates et le persil et remuez à feu doux pendant 5 minutes.
3 Pendant ce temps, faites griller le poulet sur une plaque en fonte légèrement huilée.
4 Présentez le poulet sur un lit de fèves. Nappez-le de beurre de ciboulette et servez aussitôt.

Beurre de ciboulette Faites fondre le beurre, incorporez la ciboulette et remuez. Nappez aussitôt le poulet de cette sauce.

Par portion lipides 27 g ; 455 kcal

Frittata au salami et aux pommes de terre

Pour 4 personnes.

PRÉPARATION 10 MINUTES • CUISSON 45 MINUTES

2 pommes de terre, en fines rondelles
250 g de salami, finement haché
6 œufs, légèrement battus
125 g de crème fraîche
3 oignons verts, grossièrement hachés
1 c. s. de basilic frais, en fines lanières

1 Graissez un moule à gâteau rond et chemisez le fond de papier sulfurisé.
2 Faites cuire les pommes de terre à l'eau ou à la vapeur, puis égouttez-les et laissez-les refroidir.
3 Faites dorer le salami dans une poêle antiadhésive, en remuant régulièrement, puis égouttez-le sur du papier absorbant. Préchauffez le four à 180 °C.
4 Garnissez le fond du moule de rondelles de pommes de terre, continuez avec le salami et répétez l'opération jusqu'à épuisement des ingrédients. Mélangez à la fourchette les œufs, la crème, les oignons verts et le basilic. Versez cet appareil dans le moule. Enfournez et laissez prendre 30 minutes. Servez chaud ou froid.

Par portion lipides 45,1 g ; 571 kcal

L'ASTUCE DU CHEF

Vous pouvez faire cuire la frittata dans une poêle à larges bords. Quand elle est presque prise, transvasez-la dans un plat en terre et terminez la cuisson au four pour la faire dorer.

Frittata de thon aux asperges

Pour 4 personnes.

PRÉPARATION 10 MINUTES • CUISSON 30 MINUTES

5 pommes de terre moyennes, en tranches fines
1 c. s. d'huile d'olive
1 oignon moyen, en tranches fines
1 gousse d'ail, pilée
250 g d'asperges vertes, épluchées et coupées en morceaux
425 g de thon au naturel, égoutté et émietté
4 œufs, légèrement battus
4 blancs d'œufs, légèrement battus
2 c. s. de persil plat, finement ciselé

1 Faites cuire les pommes de terre à l'eau ou à la vapeur.
2 Dans une petite poêle antiadhésive huilée, faites revenir l'oignon et l'ail, en remuant jusqu'à ce que l'oignon soit fondant.
3 Dans un saladier, mélangez les pommes de terre, l'oignon et l'ail, les asperges, le thon, les œufs, les blancs d'œufs et le persil.
4 Versez ce mélange dans la poêle préchauffée. Pressez fermement pour qu'il s'étale bien et faites cuire sans couvrir jusqu'à ce que la frittata soit presque ferme. Retirez du feu et placez sous le gril préchauffé, jusqu'à ce que la frittata soit dorée.

Par portion lipides 8,2 g ; 357 kcal

L'ASTUCE DU CHEF

Vous pouvez remplacer les asperges fraîches par des asperges en bocal (égouttez-les bien).

Frittata à la roquette et au prosciutto

Pour 4 personnes.

PRÉPARATION 15 MINUTES • CUISSON 35 MINUTES

8 tranches de prosciutto
40 g de feuilles de roquette
20 g de parmesan, râpé
10 œufs
180 ml de crème fraîche

1 Graissez un moule à gâteau rond et chemisez le fond de papier sulfurisé.
2 Faites dorer le prosciutto dans une poêle antiadhésive, en remuant régulièrement, puis égouttez-le sur du papier absorbant. Préchauffez le four à 180 °C.
3 Disposez dans le moule en couches successives le prosciutto, la roquette et le parmesan. Versez enfin les œufs battus avec la crème.
4 Faites cuire 30 minutes au four, jusqu'à ce que la frittata soit ferme. Laissez reposer 5 minutes avant de démouler. Servez chaud ou froid.

Par portion lipides 25,3 g ; 328 kcal

Frittata aux oignons et aux courgettes

Pour 4 personnes.

PRÉPARATION 10 MINUTES • CUISSON 30 MINUTES

20 g de beurre
2 c. s. d'huile d'olive
2 oignons bruns, émincés
6 œufs, légèrement battus
60 ml de crème fraîche
60 g de parmesan, râpé
2 petites courgettes, coupées en rondelles
1 c. s. de basilic, en fines lanières

1 Graissez un moule à gâteau rond avec le beurre. Faites chauffer l'huile dans une poêle et faites revenir les oignons, puis laissez refroidir. Préchauffez le four à 180 °C.
2 Mélangez les oignons, les œufs, la crème, le parmesan, les courgettes et le basilic dans un récipient. Versez cette préparation dans le moule. Faites cuire la frittata 25 minutes au four, jusqu'à ce qu'elle soit ferme. Servez chaud ou froid.

Par portion lipides 13 g ; 160 kcal

Les frittata

Les salades et les légumes

Artichauts, courgettes, aubergines et autres légumes frais occupent une grande place dans la cuisine italienne comme accompagnement des plats. La plupart des recettes proposées ici peuvent constituer des plats uniques pour un repas léger ou accompagner viandes ou poissons.

Panzanella

Pour 4 personnes.

PRÉPARATION 25 MINUTES

La ciabatta est un pain italien long et plat, cuit au feu de bois. À défaut, vous pourrez le remplacer par du pain de campagne.

1 pain ciabatta, rassis
6 tomates
2 branches de céleri, épluchées
1 concombre
1 oignon rouge
125 ml d'huile d'olive
60 ml de vinaigre
1 gousse d'ail, pilée
quelques feuilles de basilic, ciselées
1 c. s. de câpres

1 Coupez le pain en deux dans le sens de la longueur. Enlevez la mie. Coupez la croûte en dés de 2 cm.
2 Coupez les tomates en quartiers et enlevez les graines. Détaillez les quartiers en tranches de 1 cm d'épaisseur.
3 Coupez le céleri en quatre dans la hauteur, puis détaillez-le en petits dés.
4 Épluchez le concombre, coupez-le en deux dans le sens de la longueur, puis enlevez les graines. Coupez les deux moitiés en tranches de 1 cm d'épaisseur.
5 Hachez l'oignon, mélangez-le aux dés de pain dans un saladier. Ajoutez les tomates, le céleri et le concombre. Remuez.
6 Mélangez l'huile, le vinaigre, l'ail et le basilic dans un bocal muni d'un couvercle. Versez sur la salade. Parsemez de câpres.

Par portion lipides 30 g ; 382 kcal

Suggestion de présentation Accompagnée d'un verre de chianti, cette salade peut faire un repas léger aussi savoureux que rafraîchissant. Suivie d'escalopes de veau ou de sardines grillées, elle fera un hors-d'œuvre idéal pour un déjeuner léger.

L'ASTUCE DU CHEF

Si votre pain n'est pas assez rassis, passez les dés au four pendant quelques minutes.

Artichauts au citron et aux câpres

Pour 4 personnes.

PRÉPARATION 20 MINUTES • CUISSON 45 MINUTES

8 petits artichauts
125 ml de jus de citron
125 ml d'huile d'olive
2 gousses d'ail, pilées
2 c. s. de câpres, grossièrement hachées
2 c. s. de persil plat, grossièrement haché

1 Coupez la tête des artichauts sur 1 cm et éliminez les feuilles extérieures. Coupez les artichauts en quatre et retirez le foin avec une petite cuillère.

2 Faites cuire les artichauts à la vapeur pendant 45 minutes. Laissez-les tiédir, puis disposez-les sur les assiettes de service. Mélangez le jus de citron, l'huile d'olive, l'ail, les câpres et le persil. Versez ce mélange sur les artichauts et servez aussitôt.

Par portion lipides 30 g ; 311 kcal

Légumes grillés

Pour 6 personnes.

PRÉPARATION 15 MINUTES • CUISSON 15 MINUTES

2 courgettes vertes
2 courgettes jaunes
6 petites aubergines
1 gros oignon rouge, épluché et coupé en huit
2 poivrons verts, épépinés et coupés en huit
2 poivrons jaunes, épépinés et coupés en huit
2 poivrons rouges, épépinés et coupés en huit

Sauce au vinaigre balsamique

2 c. s. de jus de citron
1 gousse d'ail, pilée
60 ml d'huile d'olive
2 c. s. de vinaigre balsamique
1 c. c. d'origan
sel

1 Coupez les courgettes et les aubergines en tranches fines dans le sens de la longueur.
2 Faites griller successivement les courgettes, l'oignon, les poivrons et les aubergines sur un gril en fonte légèrement huilé ou dans une poêle antiadhésive.
3 Mélangez-les dans un saladier et arrosez-les de sauce.

Sauce au vinaigre balsamique Mélangez tous les ingrédients dans un bocal muni d'un couvercle.

Par portion lipides 10,2 g ; 152 kcal

L'ASTUCE DU CHEF

Préparez cette salade la veille et gardez-la au réfrigérateur : les parfums de la sauce et des légumes grillés auront ainsi le temps de se développer.

Salade de fenouil et de trévise

Pour 4 personnes.

PRÉPARATION 20 MINUTES

1 salade trévise moyenne
2 fenouils moyens, coupés en lanières de 1 cm
100 g d'olives noires, dénoyautées
50 g de persil frais

Vinaigrette

60 ml d'huile d'olive
1 c. s. de jus de citron
2 filets d'anchois
3 olives noires, dénoyautées
1 gousse d'ail, pilée

1 Séparez les feuilles de salade et lavez-les soigneusement.
2 Disposez la salade, le fenouil, les olives et le persil sur les assiettes. Versez la vinaigrette et mélangez délicatement.

Vinaigrette Mixez tous les ingrédients pendant 10 secondes.

Par portion lipides 14,5 g ; 198 kcal

Peperonata

Pour 6 personnes.

PRÉPARATION 15 MINUTES • CUISSON 35 MINUTES

2 poivrons rouges
2 poivrons jaunes
2 poivrons verts
2 c. s. d'huile d'olive
3 oignons jaunes, émincés
2 gousses d'ail, pilées
2 grosses tomates, coupées huit
60 ml de vin blanc sec
60 g d'olives farcies aux piments
1 c. s. de persil plat, grossièrement haché

1 Coupez les poivrons en quatre, puis éliminez les pépins et les membranes. Détaillez les quartiers en fines lanières.

2 Faites chauffer l'huile dans une sauteuse et faites revenir les oignons et l'ail. Ajoutez les poivrons et les tomates, couvrez et laissez mijoter 30 minutes.

3 Quand les poivrons sont tendres, versez le vin et ajoutez les olives. Laissez frémir sans couvrir jusqu'à évaporation complète du liquide. Parsemez de persil et servez chaud ou froid.

Par portion lipides 6,7 g ; 142 kcal

L'ASTUCE DU CHEF

La peperonata est délicieuse froide. Préparez-la la veille et conservez-la au réfrigérateur. Servez avec des pois chiches ou des lentilles froides pour un déjeuner d'été.

Poivrons farcis aux tomates et aux anchois

Pour 4 personnes.

PRÉPARATION 20 MINUTES • CUISSON 45 MINUTES

2 c. s. d'huile d'olive
1 oignon, émincé
1 gousse d'ail, pilée
1 mini-aubergine, en fines rondelles
1 c. s. de persil plat, grossièrement haché
2 c. c. de câpres, égouttées et grossièrement hachées
1 c. s. d'origan, grossièrement haché
4 filets d'anchois, égouttés et émincés
4 tomates olivettes bien mûres, finement hachées
20 g de chapelure
20 g de parmesan, râpé
2 poivrons rouges

1 Faites chauffer 1 cuillerée à soupe d'huile dans une sauteuse et faites revenir l'oignon et l'ail. Ajoutez l'aubergine, le persil, l'origan, les câpres, les anchois et les tomates. Laissez cuire 3 minutes en remuant sans cesse. Transférez cette préparation dans un récipient et laissez refroidir.

2 Incorporez la chapelure et le parmesan. Mélangez bien. Préchauffez le four à 150 °C.

3 Coupez les poivrons en deux et retirez les pépins et les membranes blanches. Badigeonnez la peau des poivrons avec le reste d'huile d'olive et disposez-les sur la grille du four. Garnissez les poivrons de farce aux tomates et aux anchois, puis faites-les cuire 40 minutes au four.

Par portion lipides 11,6 g ; 173 kcal

L'ASTUCE DU CHEF

Vous pouvez préparer la farce la veille et la conserver au réfrigérateur.

Salade de haricots blancs

Pour 8 personnes.

TREMPAGE 12 HEURES • PRÉPARATION 15 MINUTES • CUISSON 45 MINUTES

400 g de haricots cocos
1 gros poivron jaune
8 tomates olivettes, épépinées et coupées en morceaux
2 oignons rouges, finement hachés
250 g d'olives noires, dénoyautées et coupées en morceaux
1 botte de persil, hachée grossièrement
125 ml de vinaigre balsamique
2 gousses d'ail, pilées
250 ml d'huile d'olive

1 Recouvrez les haricots d'eau froide et laissez-les tremper toute une nuit.
2 Égouttez et rincez les haricots, puis faites-les cuire dans une grande casserole d'eau bouillante salée pendant 45 minutes. Égouttez, rincez et laissez refroidir.
3 Pendant ce temps, coupez le poivron en quatre, enlevez les pépins et les membranes blanches. Mettez les morceaux sous le gril du four, la peau vers le haut, jusqu'à ce qu'ils commencent à noircir et à se boursoufler. Sortez du four, couvrez de papier d'aluminium et laissez reposer 5 minutes, puis enlevez la peau et coupez les morceaux de poivrons en lamelles.
4 Dans un saladier, mélangez les haricots, les tomates, le poivron, les oignons, les olives, le persil, le vinaigre, l'ail et l'huile d'olive. Remuez délicatement.

Par portion lipides 31,7 g ; 336 kcal

Roquette au parmesan

Pour 8 personnes.

PRÉPARATION 25 MINUTES • CUISSON 3 MINUTES

60 g de parmesan
200 g de pousses de roquette
80 g de tomates séchées à l'huile, coupées en lamelles
40 g de pignons de pin, grillés
60 ml de vinaigre balsamique
60 ml d'huile d'olive

1 Avec un couteau économe, découpez le parmesan en longs copeaux.
2 Dans un saladier, mélangez la roquette, les lamelles de tomates, les pignons et le parmesan. Arrosez d'huile et de vinaigre mélangés.

Par portion lipides 16 g ; 177 kcal

Les astuces du chef

• Pour conserver à la roquette tout son croquant, rincez-la à l'eau froide, égouttez-la et gardez-la au réfrigérateur pendant une nuit. Elle peut être remplacée par des pousses d'épinards.

• Faites grillez les pignons de pin à sec (sans matières grasses) dans une poêle antiadhésive.

Beignets au gorgonzola

Pour 36 pièces.

PRÉPARATION 15 MINUTES • CUISSON 5 MINUTES

200 g de ricotta
185 g de gorgonzola, grossièrement haché
2 œufs, légèrement battus
75 g de farine
huile végétale pour la friture
80 g de parmesan, finement râpé

1 Mélangez la ricotta, le gorgonzola et les œufs dans un récipient. Ajoutez la farine et laissez reposer à température ambiante.
2 Faites chauffer l'huile dans une sauteuse. Plongez plusieurs cuillerées à café de pâte dans l'huile et faites-les frire en retournant régulièrement les beignets. Laissez-les égoutter sur du papier absorbant, transvasez-les dans un plat et saupoudrez de parmesan au moment de servir.

Par beignet lipides 4 g ; 55 kcal

Bocconcini marinés

Pour 6 personnes.

PRÉPARATION 5 MINUTES

500 g de bocconcini, coupés en quatre
6 grains de poivre entiers
3 feuilles de laurier
3 branches de romarin frais
3 branches d'origan frais
60 ml de vinaigre de vin blanc
500 ml d'huile d'olive

1 Mélangez les bocconcini, les grains de poivre, les feuilles de laurier, le romarin et l'origan dans un récipient. Transférez cette préparation dans un bocal en verre stérilisé (contenance 1 litre).
2 Versez le vinaigre et l'huile dans le bocal. Fermez et laissez reposer 6 heures au réfrigérateur.

Par portion lipides 23,6 g ; 268 kcal

L'ASTUCE DU CHEF

Servez à l'apéritif ou sur une salade. Ces fromages marinés se conservent 2 semaines au réfrigérateur.

Gâteau de ricotta aux herbes

Pour 8 personnes.

PRÉPARATION 15 MINUTES • CUISSON 1 HEURE

1 kg de ricotta
2 c. s. de thym frais, finement haché
2 gousses d'ail, pilées
2 œufs, légèrement battus
1 c. s. de ciboulette, finement hachée
1 c. s. de zeste de citron, râpé

1 Graissez un moule à gâteau rond et chemisez le fond de papier sulfurisé. Préchauffez le four à 180 °C.
2 Mélangez la ricotta, le thym, l'ail, les œufs, la ciboulette et le zeste de citron jusqu'à obtention d'une préparation homogène. Étalez ce mélange dans le moule et lissez la surface.
3 Faites cuire 1 heure au four, jusqu'à ce que la ricotta soit ferme. Laissez refroidir avant de démouler.

Par portion lipides 35,7 g ; 464 kcal

L'astuce du chef

Vous pouvez ajouter des olives noires hachées ou de la pancetta émincée dans la préparation. Ce gâteau de ricotta se conserve 3 jours au réfrigérateur. Servez-le avec une salade verte.

Tuiles au parmesan

Pour 18 pièces.

PRÉPARATION 5 MINUTES • CUISSON 25 MINUTES

80 g de parmesan, finement râpé
1/4 c. c. de poivre noir du moulin
1 c. c. d'origan séché

1 Préchauffez le four à 180 °C. Mélangez tous les ingrédients dans un récipient. Chemisez de papier sulfurisé une plaque de cuisson et déposez dessus des petits tas de la préparation au parmesan, en les espaçant. Aplatissez délicatement ces tuiles du bout des doigts.
2 Faites cuire 4 minutes au four, puis laissez refroidir sur la plaque.

Par tuile lipides 1,4 g ; 19 kcal

Conservation

Ces tuiles se conservent 3 jours dans un récipient hermétique.

L'astuce du chef

Servez ces tuiles à l'apéritif, avec une tapenade, ou proposez-les pour accompagner une soupe de légumes.

Les fromages

Les desserts

Sous la chaleur estivale, terminez votre repas à l'italienne par des fruits frais, une glace ou un entremets léger. Pour les occasions spéciales, confectionnez un de ces délicieux desserts italiens qui étonneront vos convives.

Sabayon

Pour 4 personnes.

PRÉPARATION 10 MINUTES • CUISSON 10 MINUTES

5 jaunes d'œufs
55 g de sucre en poudre
125 ml de marsala
60 ml de vin blanc sec

1 Fouettez les jaunes d'œufs et le sucre dans un bol résistant à la chaleur, jusqu'à obtention d'un mélange mousseux.
2 Mettez la préparation au bain-marie sur une casserole d'eau frémissante. Ajoutez progressivement la moitié du marsala et la moitié du vin blanc. Fouettez vigoureusement. Incorporez le reste du marsala et du vin blanc sans cesser de battre.
3 Faites cuire 10 minutes au bain-marie sans cesser de fouetter la préparation, jusqu'à épaississement. Si la préparation adhère au bord, retirez-la rapidement du feu et battez vigoureusement avec une cuillère en bois en partant de la base. Versez le sabayon dans des coupes individuelles. Servez avec des amaretti (voir p. 233).

Par portion lipides 7,7 g ; 277 kcal

Suggestion Le sabayon est excellent sur des fruits frais ou servi chaud sur de la glace.

Glace au citron

Pour 2 personnes.

PRÉPARATION 15 MINUTES • CUISSON 15 MINUTES • CONGÉLATION 12 HEURES

110 g de sucre en poudre
125 ml d'eau
125 ml de vin blanc doux
125 ml de jus de citron
1 blanc d'œuf

1 Mélangez le sucre, l'eau et le vin dans une petite casserole ; faites cuire à feu doux en remuant, jusqu'à ce que le sucre soit dissous. Portez à ébullition, puis baissez le feu et laissez mijoter 10 minutes sans couvrir. Laissez refroidir.
2 Ajoutez le jus de citron ; mélangez bien. Versez la préparation dans un plat peu profond ; gardez-la 1 heure au réfrigérateur, jusqu'à ce qu'elle soit juste ferme.
3 Versez la préparation dans un saladier, puis fouettez-la à la fourchette jusqu'à obtention d'une pâte lisse. Battez le blanc d'œuf en neige, puis incorporez-le délicatement à la crème au citron. Remettez le tout dans le plat et congelez jusqu'à ce que la glace soit prise.

Par portion lipides 0,13 g ; 276 kcal

Tartelettes aux figues fraîches et au mascarpone

Pour 4 personnes.

PRÉPARATION 35 MINUTES • CUISSON 40 MINUTES

150 g de farine
1 c. s. de préparation en poudre pour crème anglaise
1 c. s. de sucre semoule
100 g de beurre, coupé en dés
1 jaune d'œuf
1 c. c. de zeste d'orange, râpé
2 c. c. d'eau
2 grosses figues fraîches

Caramel

275 g de sucre semoule
125 ml d'eau
40 g d'amandes blanchies
125 ml de jus d'orange, sans la pulpe
2 c. s. d'eau supplémentaires

Crème au mascarpone

125 ml de crème fraîche épaisse
200 g de mascarpone

1 Graissez quatre moules à tartelettes. Mélangez la farine, la préparation pour crème anglaise et le sucre dans un récipient. Ajoutez le beurre et remuez. Incorporez le jaune d'œuf battu, le zeste d'orange et l'eau jusqu'à obtention d'une pâte homogène. Pétrissez rapidement la pâte sur un plan de travail fariné, roulez-la en boule, couvrez et laissez reposer 1 heure au réfrigérateur.

2 Préchauffez le four à 180 °C. Étalez la pâte au rouleau entre deux feuilles de papier sulfurisé et garnissez-en les moules. Piquez les fonds avec une fourchette, puis recouvrez-les de papier sulfurisé et garnissez-les de haricots secs pour empêcher la pâte de gonfler en cuisant. Faites cuire 10 minutes au four. Retirez le papier et les haricots et poursuivez la cuisson pendant 10 minutes.

3 Coupez les figues en six. Démoulez les fonds de pâte et garnissez-les de crème au mascarpone. Décorez chaque tartelette de quartiers de figues caramélisées (voir ci-dessous) et de filaments de caramel, puis arrosez de jus d'orange chaud.

Caramel Chemisez deux plaques de cuisson de papier sulfurisé. Mélangez le sucre et l'eau dans une casserole, puis faites chauffer jusqu'à dissolution du sucre. Laissez frémir jusqu'à ce que le mélange devienne doré, puis retirez du feu. Plongez les figues dans le caramel, puis étalez-les sur une plaque. Réchauffez à feu doux le reste de caramel. Trempez une fourchette dedans et faites-la glisser rapidement sur l'autre plaque pour former des filaments. Faites chauffer à feu doux le jus d'orange et l'eau dans la casserole, qui doit contenir un fond de caramel.

Crème au mascarpone Fouettez la crème jusqu'à ce que des petits pics se forment à la surface, puis ajoutez le mascarpone.

Par portion lipides 68,2 g ; 820 kcal

Granita de pastèque

Pour 6 personnes.

PRÉPARATION 30 MINUTES • CUISSON 10 MINUTES • CONGÉLATION 3 HEURES + 12 HEURES

2 kg de pastèque, coupée en gros dés
165 g de sucre
500 ml d'eau

1 Mixez la pastèque et passez-la dans un tamis fin au-dessus d'un grand saladier. Jetez les pépins et la pulpe.
2 Mélangez le sucre et l'eau dans une casserole et faites cuire à feu doux, en remuant, jusqu'à ce que le sucre soit dissous. Portez à ébullition, puis laissez mijoter 10 minutes sans couvrir. Coupez le feu et laissez refroidir.
3 Versez le sirop de sucre et le jus de la pastèque dans un saladier. Mélangez jusqu'à obtention d'une préparation homogène, puis versez celle-ci dans un moule antiadhésif de 20 x 30 cm. Couvrez et mettez au congélateur pendant 3 heures.
4 Quand le sorbet de pastèque est presque dur, retirez-le du congélateur et mettez-le dans un grand saladier avec les blancs d'œufs. Battez avec un fouet électrique jusqu'à obtention d'un mélange lisse. Versez ce dernier dans un moule de 14 x 21 cm. Couvrez et congelez toute une nuit.
5 Sortez le sorbet du congélateur, laissez-le quelques minutes à température ambiante avant de le fouetter à la fourchette pour l'aérer. Servez-le dans des coupes. Accompagnez éventuellement d'une salade d'ananas frais.

Par portion lipides 0,5 g ; 281 kcal

Tiramisu

Pour 6 personnes.

PRÉPARATION 25 MINUTES • RÉFRIGÉRATION 3 HEURES

2 c. s. de café soluble
300 ml d'eau bouillante
250 ml de marsala
250 g de biscuits à la cuillère
125 ml de crème fraîche épaisse
55 g de sucre glace
500 g de mascarpone
40 g de chocolat noir, râpé

1 Faites dissoudre le café dans l'eau bouillante et ajoutez 160 ml de marsala, puis laissez refroidir. Trempez la moitié des biscuits, l'un après l'autre, dans cette préparation et disposez-les en une seule couche dans un plat rectangulaire allant au four.

2 Battez la crème et le sucre glace jusqu'à ce que de petits pics se forment à la surface, puis ajoutez le mascarpone et le reste du marsala.

3 Étalez la moitié de ce mélange sur les biscuits. Trempez les biscuits restants dans la préparation au café et disposez-les en une seule couche dans le plat. Terminez par une couche de crème. Parsemez de chocolat râpé, couvrez et laissez reposer au moins 3 heures au réfrigérateur.

Par portion lipides 59,5 g ; 867 kcal

Gâteau à la ricotta

Pour 8 personnes.

PRÉPARATION 1 HEURE • CUISSON 1 HEURE • RÉFRIGÉRATION 1 HEURE

370 g de préparation pour gâteau au chocolat
185 g de ricotta
55 g de sucre en poudre
2 c. s. de Grand Marnier
30 g de gingembre confit, émincé
30 g de cerises confites, émincées
30 g de chocolat noir, râpé
90 g d'amandes effilées, grillées

Sirop

2 c. s. de sucre en poudre
80 ml d'eau
2 c. s. de Grand Marnier

Glaçage

55 g de sucre en poudre
80 ml d'eau
125 g de beurre
90 g de chocolat noir, fondu

1 Préparez le gâteau au chocolat en respectant les indications figurant sur l'emballage et faites le cuire au four. Démoulez sur une grille métallique et laissez refroidir.

2 Mettez la ricotta dans un bol et mixez-la jusqu'à obtention d'un mélange lisse. Sans cesser de mixer, incorporez progressivement le sucre et le Grand Marnier. Ajoutez le gingembre, les cerises et le chocolat ; mélangez vivement.

3 Coupez le gâteau en trois dans la hauteur. Disposez la première couche sur le plat de service ; badigeonnez de sirop.

4 Étalez la moitié de la préparation à la ricotta sur le gâteau. Recouvrez d'une deuxième couche de gâteau, que vous badigeonnez également de sirop. Étalez le reste de la garniture. Recouvrez avec la dernière tranche de gâteau, badigeonnée de sirop.

5 Garnissez le dessus et les côtés du gâteau avec le glaçage ; pressez les amandes sur les côtés. Conservez 1 heure au réfrigérateur et sortez à température ambiante 10 minutes avant de servir.

Sirop Mélangez le sucre, l'eau et le Grand Marnier dans une petite casserole ; faites cuire à feu doux en remuant jusqu'à ce que le sucre soit dissous. Laissez refroidir.

Glaçage Mélangez le sucre et l'eau dans une petite casserole. Faites cuire à feu doux en remuant jusqu'à ce que le sucre soit dissous ; portez à ébullition. Retirez du feu et laissez refroidir. Battez le beurre jusqu'à obtention d'un mélange crémeux ; ajoutez progressivement l'eau sucrée, puis le chocolat fondu, en remuant régulièrement, jusqu'à obtention d'une pâte homogène.

Par portion lipides 31,3 g ; 578 kcal

Panettone à la crème anglaise

Pour 6 personnes.

PRÉPARATION 20 MINUTES • CUISSON 40 MINUTES

Le panettone est un gâteau italien riche en raisins secs, pignons de pin et fruits confits. Servi traditionnellement à Noël, il est également proposé pour les grandes occasions : baptêmes, mariages... Cette recette fait un bon usage des restes de panettone.

500 g de panettone
50 g de beurre, ramolli
875 ml de lait, chaud
1 gousse de vanille, fendue en deux
4 œufs
220 g de sucre
110 g de noix de macadamia, grossièrement hachées
2 c. s. d'eau

1 Préchauffez le four à feu doux. Beurrez six moules individuels allant au four.
2 Détaillez le panettone en cubes et beurrez-les sur un des côtés. Coupez ensuite chaque morceau en quatre et répartissez-les dans les moules.
3 Mélangez le lait et la gousse de vanille dans une casserole. Portez à ébullition, puis retirez du feu dès la formation de petits bouillons et laissez reposer 10 minutes à couvert.
4 Pendant ce temps, fouettez les œufs et la moitié du sucre dans un récipient résistant à la chaleur, puis versez progressivement le lait, sans cesser de fouetter. Jetez la gousse de vanille.
5 Versez délicatement le mélange aux œufs sur le panettone. Placez les moules dans un grand plat à gratin. Versez de l'eau bouillante dans le plat jusqu'à mi-hauteur des moules. Faites cuire au four 30 minutes, jusqu'à ce que la préparation soit ferme.
6 Pendant ce temps, répartissez les noix sur la plaque du four et faites-les griller 10 minutes, jusqu'à ce qu'elles soient légèrement dorées. Versez le reste de sucre et l'eau dans une petite casserole. Faites cuire à feu doux en remuant sans cesse, jusqu'à ce que le sucre soit dissous. Montez le feu et faites cuire 10 minutes à petits bouillons, jusqu'à coloration. Versez le caramel obtenu sur les noix et laissez refroidir, puis coupez la pâte en gros morceaux.
7 Servez les desserts décorés de noix caramélisées et saupoudrés de sucre glace.

Par portion lipides 51,5 g ; 896 kcal

L'ASTUCE DU CHEF

Vous pouvez remplacer le panettone par de la brioche nature ou aux fruits confits.

Mousse glacée à l'amaretto et au caramel

Pour 6 personnes.

PRÉPARATION 20 MINUTES • CUISSON 15 MINUTES • CONGÉLATION 2 HEURES

240 g d'amandes blanchies
330 g de sucre semoule
125 ml d'eau
4 œufs, blancs et jaunes séparés
60 ml d'amaretto
500 g de crème fraîche épaisse

1. Étalez les amandes sur une plaque de cuisson et faites-les dorer 8 minutes au four.
2. Mélangez 250 g de sucre avec l'eau dans une casserole et faites chauffer à feu doux en remuant sans cesse. Quand le sucre est dissous, portez à ébullition et laissez frémir jusqu'à coloration.
3. Ajoutez les amandes dans la casserole en remuant.
4. Étalez le caramel aux amandes en une couche fine sur une plaque de cuisson graissée. Laissez durcir à température ambiante. Cassez la plaque de caramel en deux. Réservez une moitié dans un récipient hermétique. Broyez grossièrement l'autre moitié.
5. Battez les jaunes d'œufs, le reste du sucre et l'amaretto dans un récipient jusqu'à obtention d'un mélange mousseux. Battez la crème jusqu'à ce que de petits pics se forment à la surface, puis incorporez-la délicatement aux œufs battus.
6. Montez les blancs d'œufs en neige jusqu'à ce que de petits pics se forment à la surface. Incorporez la moitié de cette préparation aux œufs battus, puis ajoutez le caramel broyé et le reste des blancs en neige en mélangeant délicatement. Transférez le tout dans un récipient et laissez prendre au moins 2 heures au congélateur.
7. Sortez la crème glacée et laissez-la 30 minutes au réfrigérateur. Au moment de servir, cassez grossièrement le caramel restant et parsemez-en la crème.

Par portion lipides 56,3 g ; 849 kcal

Zuccotto

Pour 6 personnes.

PRÉPARATION 1 HEURE • CUISSON 5 MINUTES • RÉFRIGÉRATION 12 HEURES

1 biscuit de Savoie
2 c. s. de cognac
2 c. s. de liqueur au café
90 g de chocolat noir
300 ml de crème fraîche
40 g de sucre glace
60 g d'amandes mondées grillées, hachées grossièrement
60 g de noisettes grillées, hachées grossièrement
sucre glace supplémentaire
poudre de cacao

1 Découpez le biscuit en tranches de 1 cm d'épaisseur. Coupez chaque tranche pour former 2 morceaux triangulaires.

2 Badigeonnez soigneusement un côté des biscuits de cognac et de liqueur de café mélangés.

3 Disposez les morceaux du côté non badigeonné contre les bords d'un moule à pudding garni d'une étamine humide. Assurez-vous que la pointe étroite des tranches se trouve au fond du plat. Répétez l'opération jusqu'à ce que l'intérieur du bol soit tapissé de gâteau. Remplissez les interstices avec des morceaux de biscuit humidifié ; recoupez les bords afin qu'ils ne dépassent pas du moule. Réservez les morceaux restants.

4 Râpez finement un tiers du chocolat. Faites fondre le reste. Fouettez la crème avec le sucre glace jusqu'à ce qu'elle soit ferme. Ajoutez les amandes et les noisettes ; divisez la préparation en deux. Incorporez le chocolat râpé dans une des moitiés ; ajoutez le chocolat fondu dans l'autre moitié. Recouvrez toute la surface du gâteau de la préparation au chocolat râpé, en réservant un espace au centre. Versez le mélange au chocolat fondu dans ce creux.

5 Mouillez les morceaux de biscuit restants avec le reste de liqueur, puis recouvrez-en la surface du gâteau. Couvrez d'un film étirable et réservez toute une nuit au réfrigérateur. Démoulez soigneusement sur un plat de service, puis saupoudrez de sucre glace et de poudre de cacao mélangés.

Par portion lipides 52,8 g ; 977 kcal

Cassata

Pour 8 personnes.

PRÉPARATION 1 HEURE • CONGÉLATION 2 HEURES

2 œufs, jaunes et blancs séparés
110 g de sucre glace
125 ml de crème fraîche
quelques gouttes d'essence d'amande

Garniture au chocolat

2 œufs, jaunes et blancs séparés
110 g de sucre glace
125 ml de crème fraîche
60 g de chocolat noir, fondu
2 c. s. de cacao en poudre
1 1/2 c. s. d'eau

Garniture aux fruits confits

250 ml de crème fraîche
1 c. c. d'essence de vanille
1 blanc d'œuf, légèrement battu
55 g de sucre glace
2 c. s. de cerises rouges confites, finement coupées
2 c. s. d'abricots confits, finement coupés
2 c. s. d'ananas confit, finement coupé
1 c. s. de cerises vertes confites, finement coupées
30 g d'amandes effilées, grillées

1 Battez les blancs d'œufs en neige ferme et incorporez progressivement le sucre glace. Ajoutez les jaunes d'œufs après les avoir légèrement battus.
2 Fouettez la crème et l'essence d'amandes jusqu'à ce que la préparation soit assez ferme ; incorporez-la aux œufs en neige. Versez le tout dans un moule à gâteau de 20 cm de diamètre. Lissez la surface et congelez jusqu'à ce que la préparation soit très ferme.
3 Étalez la garniture au chocolat sur cette préparation ; congelez jusqu'à ce qu'elle soit ferme.
4 Étalez la garniture aux fruits confits sur le gâteau ; congelez jusqu'à ce qu'elle soit ferme.
5 Égalisez le dessus avec une petite spatule, frottez la base et les côtés du plat avec un torchon chaud et démoulez la cassata sur un plat de service.

Garniture au chocolat Battez les blancs d'œufs en neige, puis ajoutez progressivement le sucre glace tamisé. Battez la crème dans un récipient jusqu'à ce qu'elle soit ferme ; incorporez les blancs d'œufs. Fouettez le chocolat fondu et les jaunes d'œufs, ajoutez le cacao dilué dans l'eau et mélangez le tout jusqu'à obtention d'une préparation homogène.

Garniture aux fruits confits Fouettez la crème et l'essence de vanille dans un bol. Battez le blanc d'œuf en neige, puis ajoutez progressivement le sucre glace sans cesser de fouetter. Versez cette préparation sur la crème, mélangez, puis incorporez les fruits confits et les amandes.

Par portion lipides 34,6 g ; 482 kcal

Torta di mamma

Pour 8 personnes.

PRÉPARATION 1 HEURE • CUISSON 50 MINUTES • RÉFRIGÉRATION 12 HEURES

280 g de préparation pour gâteau de Savoie
250 ml de café fort
80 ml de liqueur de café
80 ml de cognac
1 c. s. de sucre

Crème anglaise et crème au chocolat

75 g de Maïzena
60 g de préparation pour crème anglaise
110 g de sucre en poudre
625 ml de lait
2 c. c. d'essence de vanille
375 ml de crème fraîche
30 g de beurre
2 jaunes d'œufs, légèrement battus
90 g de chocolat noir, fondu

1. Préparez le gâteau de Savoie en respectant les indications figurant sur l'emballage. Faites-le cuire 35 minutes à four moyen, jusqu'à ce qu'il se décolle légèrement du bord du plat. Démoulez-le sur une grille métallique pour qu'il refroidisse. Mélangez le café froid, la liqueur, le cognac et le sucre. Coupez le gâteau en quatre dans la hauteur et dressez la première tranche sur un plat de service ; badigeonnez de mélange à base de liqueur.
2. Étalez uniformément la moitié de la crème anglaise sur le gâteau. Recouvrez d'une autre tranche de gâteau, badigeonnée du mélange à la liqueur. Étalez le tiers de la crème au chocolat. Ajoutez la troisième tranche de gâteau, également badigeonnée du mélange à la liqueur. Étalez enfin le reste de la crème anglaise et recouvrez avec la quatrième tranche de gâteau nappée de liqueur.
3. À l'aide d'une spatule, étalez le reste de la crème au chocolat sur le dessus et les côtés du gâteau. Réservez toute une nuit au réfrigérateur.

Crème anglaise et crème au chocolat Mélangez la Maïzena, la préparation pour crème anglaise et le sucre dans une casserole. Versez le lait progressivement et remuez vigoureusement, jusqu'à obtention d'une préparation lisse. Ajoutez l'essence de vanille et la crème ; remuez. Portez à ébullition et faites cuire à feu doux jusqu'à épaississement ; ajoutez le beurre. Laissez mijoter 3 minutes sans couvrir, en remuant constamment ; retirez du feu. Ajoutez les jaunes d'œufs ; mélangez bien. Transférez la crème dans un grand bol. Couvrez-la de film étirable ; laissez-la refroidir. Prélevez la moitié de la crème et parfumez cette portion en y ajoutant le chocolat noir fondu.

Par portion lipides 39,5 g ; 673 kcal

Gâteaux siciliens à la ricotta, sauce au chocolat

Pour 8 personnes.

PRÉPARATION 1 HEURE • CUISSON 25 MINUTES

225 g de farine
2 c. s. de chocolat en poudre
2 jaunes d'œufs
1 œuf, légèrement battu
2 c. s. de liqueur de café
1 c. s. d'huile d'olive
1 1/2 c. s. d'eau
1 blanc d'œuf
huile végétale pour la friture

Garniture à la ricotta

1 kg de ricotta
80 g de sucre glace
200 g de chocolat blanc, fondu
80 ml de liqueur de café

Sauce au chocolat

160 ml de crème fraîche
100 g de chocolat noir, en morceaux

1. Mixez la farine, le chocolat en poudre, les jaunes d'œufs, l'œuf battu, la liqueur de café, l'huile d'olive et l'eau jusqu'à obtention d'une pâte ferme. Travaillez cette pâte sur un plan de travail fariné pendant 5 minutes, couvrez et laissez reposer au réfrigérateur.
2. Abaissez la pâte en deux feuilles de 2 mm d'épaisseur et découpez 24 carrés de 9 cm de côté.
3. Roulez les carrés de pâte sur des moules à cannoli (voir « L'astuce du chef ») et soudez la couture avec le blanc d'œuf.
4. Faites chauffer l'huile dans une sauteuse et faites frire les cannoli en plusieurs fois, jusqu'à ce qu'ils soient croustillants, puis égouttez-les sur du papier absorbant. Retirez délicatement les moules et laissez refroidir.
5. Farcissez les cannoli de garniture à la ricotta. Servez-les nappés de sauce au chocolat chaude.

Garniture à la ricotta Battez à la fourchette la ricotta et le sucre glace, puis incorporez le chocolat blanc et la liqueur de café jusqu'à obtention d'un mélange homogène.

Chocolat fondu Mélangez la crème et le chocolat noir dans une casserole et faites chauffer à feu doux jusqu'à obtention d'une sauce lisse.

Par portion lipides 43,1 g ; 748 kcal

LES ASTUCES DU CHEF

- Vous trouverez des moules à cannoli dans des magasins spécialisés. À défaut, utilisez un support cylindrique pour mouler les cannoli.
- Vous pouvez agrémenter la garniture à la ricotta de zestes d'orange confits.

Zuppa inglese

Pour 12 personnes.

PRÉPARATION 1 HEURE • CUISSON 50 MINUTES

6 œufs
275 g de sucre en poudre
150 g de farine
75 g de Maïzena
1 1/2 c. c. de levure
160 ml de lait
2 c. s. de rhum
500 g de fraises, en tranches fines
600 ml de crème fraîche épaisse
2 c. c. de sucre en poudre supplémentaire
fruits rouges frais

Crème anglaise

75 g de Maïzena
60 g de préparation pour crème anglaise
110 g de sucre en poudre
600 ml de lait
2 c. c. d'essence de vanille
300 ml de crème fraîche
30 g de beurre
2 jaunes d'œufs

1 Battez les œufs dans un bol jusqu'à obtention d'un mélange épais et crémeux. Ajoutez progressivement le sucre, sans cesser de fouetter, jusqu'à ce que les cristaux soient dissous. Incorporez la farine, la Maïzena et la levure. Versez la préparation dans un moule à gâteau graissé de 28 cm de diamètre. Faites cuire 35 minutes à four moyen, jusqu'à ce que le gâteau se décolle légèrement des bords ; démoulez sur une grille métallique. Laissez refroidir.

2 Coupez le gâteau en trois dans la hauteur. Placez la première couche dans le moule de cuisson. Badigeonnez de lait et de rhum mélangés. Étalez la moitié de la crème anglaise, puis disposez la moitié des fraises. Ajoutez la deuxième couche de gâteau sur les fraises ; badigeonnez-la de lait et de rhum. Étalez le reste de la crème anglaise sur le gâteau et garnissez avec le reste des fraises. Ajoutez la troisième couche de gâteau ; badigeonnez de lait et de rhum. Couvrez le gâteau de film étirable ; conservez-le toute une nuit au réfrigérateur.

3 Démoulez le gâteau sur un plat de service. Fouettez la crème avec le sucre supplémentaire jusqu'à ce qu'elle soit ferme ; nappez le dessus et les côtés du gâteau avec ce mélange. Décorez avec des fruits rouges frais.

Crème anglaise Mélangez Maïzena, la préparation pour crème anglaise et le sucre dans une casserole. Ajoutez progressivement le lait ; mélangez jusqu'à obtention d'une préparation lisse. Ajoutez l'essence de vanille et la crème ; remuez bien. Faites chauffer à feu doux jusqu'à épaississement. Ajoutez le beurre. Laissez cuire 3 minutes à feu doux sans couvrir, en remuant constamment. Retirez la casserole du feu, puis incorporez les jaunes d'œufs en mélangeant bien. Versez la crème dans un bol et couvrez de film étirable. Laissez refroidir.

Par portion lipides 41,1 g ; 671 kcal

Gâteau aux framboises et aux noisettes

Pour 12 personnes.

PRÉPARATION 30 MINUTES • CUISSON 1 H 30

250 g de beurre, ramolli
440 g de sucre semoule
6 œufs
150 g de farine
75 g de farine à levure incorporée
110 g de noisettes en poudre
160 g de crème fraîche
300 g de framboises fraîches

Crème au mascarpone

250 g de mascarpone
40 g de sucre glace
2 c. s. de liqueur de noisette
120 g de crème fraîche
75 g de noisettes concassées, grillées

1 Préchauffez le four à 180 °C. Graissez un moule rond de 22 cm de diamètre et chemisez le fond de papier sulfurisé.

2 Fouettez le beurre et le sucre jusqu'à obtention d'une préparation aérée. Ajoutez les œufs un par un, en battant entre chaque ajout, jusqu'à obtention d'une préparation homogène.

3 Ajoutez les deux farines, les noisettes en poudre, la crème fraîche et les framboises en mélangeant délicatement avec une cuillère en bois. Versez cette préparation dans le moule. Lissez la surface.

4 Faites cuire le gâteau 1 h 30 au four, puis laissez reposer 10 minutes avant de démouler sur une grille.

5 Quand le gâteau est complètement froid, posez-le sur un plat de service et nappez-le de crème au mascarpone.

Crème au mascarpone Mélangez le mascarpone, le sucre glace, la liqueur et la crème avec une cuillère en bois, jusqu'à obtention d'une préparation onctueuse. Ajoutez les noisettes grillées et remuez.

Par portion lipides 50,6 g ; 720 kcal

Cassata sicilienne

Pour 10 personnes.

PRÉPARATION 30 MINUTES • RÉFRIGÉRATION 12 HEURES

185 g de biscuits au chocolat, réduits en poudre
90 g de beurre, fondu
125 ml de crème fraîche
60 g de chocolat noir, râpé grossièrement

Garniture

625 g de ricotta
160 g de sucre glace
1 c. c. d'essence de vanille
2 c. s. de crème de cacao
2 c. s. d'écorces d'agrumes confites
60 g de chocolat noir, râpé

1 Mélangez les biscuits en poudre et le beurre dans un bol, puis tapissez le fond d'un moule à charnière avec cette pâte. Conservez au réfrigérateur pendant que vous préparez la garniture.
2 Étalez la garniture sur le biscuit ; conservez toute une nuit au frais.
3 Au moment de servir, fouettez vigoureusement la crème jusqu'à ce qu'elle soit ferme ; étalez-la uniformément sur le gâteau. Saupoudrez de chocolat râpé.

Garniture Fouettez la ricotta, le sucre, l'essence de vanille et la crème de cacao dans un bol jusqu'à ce que la préparation soit lisse. Ajoutez les écorces d'agrumes et le chocolat ; mélangez bien.

Par portion lipides 27,4 g ; 434 kcal

Panna cotta au caramel

Pour 6 personnes.

PRÉPARATION 25 MINUTES • CUISSON 15 MINUTES • RÉFRIGÉRATION 3 HEURES

10 g de gélatine
180 ml de lait
600 ml de crème fraîche
150 g de sucre semoule
1 gousse de vanille

Caramel à l'orange

150 g de sucre semoule
60 ml d'eau
125 ml de jus d'orange

1. Graissez six ramequins (contenance 160 ml). Faites ramollir la gélatine dans 60 ml de lait. Mélangez le reste de lait, la crème et le sucre dans une casserole. Fendez la gousse de vanille en deux et prélevez les graines avec la pointe d'un couteau. Ajoutez les graines et la gousse de vanille dans la casserole et faites chauffer la préparation à feu doux. Quand le sucre est dissous, poursuivez la cuisson jusqu'au point d'ébullition, puis retirez la casserole du feu. Couvrez et laissez reposer 10 minutes.
2. Remettez la casserole sur le feu et réchauffez la préparation sans la laisser bouillir, puis versez-la sur la gélatine. Passez le mélange au chinois et versez-le dans les ramequins. Laissez refroidir à température ambiante, puis réfrigérez 3 heures pour que les panna cotta soient fermes.
3. Au moment de servir, démoulez les panna cotta sur des assiettes à dessert et nappez-les de caramel à l'orange. Décorez de fruits de saison.

Caramel à l'orange Mélangez le sucre et l'eau dans une casserole à fond épais et faites chauffer à feu doux, en remuant sans cesse. Quand le sucre est dissous, faites bouillir 10 minutes pour que le sirop caramélise. Versez le jus d'orange sans cesser de remuer, jusqu'à obtention d'un mélange homogène. Laissez refroidir à température ambiante.

Par portion lipides 44,9 g ; 628 kcal

Glace aux raisins et tuiles à la muscade

Pour 8 personnes.

PRÉPARATION 30 MINUTES • CONGÉLATION 2 HEURES • CUISSON 25 MINUTES

1,5 kg de raisin blanc sans pépins
3 blancs d'œufs
165 g de sucre semoule

Tuiles à la muscade

1 blanc d'œuf
55 g de sucre semoule
2 c. s. de farine
1/2 c. c. de noix de muscade moulue
30 g de beurre, ramolli
2 c. c. de chocolat en poudre

1 Mixez les grains de raisin jusqu'à obtention d'un mélange homogène. Passez ce mélange au chinois pour en extraire le jus. Vous devez en obtenir 800 ml. Versez le jus dans un moule à cake, couvrez d'une feuille de papier sulfurisé et laissez prendre 1 heure au congélateur.

2 Battez les blancs d'œufs en neige jusqu'à ce que de petits pics se forment à la surface. Ajoutez le sucre en plusieurs fois, sans cesser de battre.

3 Sortez le jus de raisin du congélateur et remuez-le rapidement à la fourchette pour l'aérer. Incorporez délicatement les blancs en neige. Remettez la préparation au congélateur jusqu'au moment de servir.

Tuiles à la muscade Battez le blanc d'œuf en neige jusqu'à ce que de petits pics se forment à la surface. Ajoutez le sucre en plusieurs fois, sans cesser de battre. Incorporez la farine et la noix de muscade, puis le beurre. Réservez 2 cuillerées à soupe de cette préparation. Chemisez deux plaques de cuisson de papier sulfurisé. Déposez des petits disques de pâte sur les plaques, en les espaçant, puis aplatissez-les à la cuillère. Mélangez les 2 cuillerées réservées avec le chocolat en poudre, transférez ce mélange dans une poche à douille et dessinez un motif sur les tuiles. Faites dorer au four 5 minutes. Retirez les tuiles encore chaudes du papier et moulez-les délicatement sur le dos d'une cuillère en bois pour leur donner une forme arrondie. Laissez refroidir complètement.

Par portion lipides 3,4 g ; 266 kcal

Pêches pochées

Pour 6 personnes.

PRÉPARATION 5 MINUTES • CUISSON 25 MINUTES

375 ml de sauternes
500 ml d'eau
220 g de sucre semoule
1 zeste de citron
6 pêches

1 Mélangez le vin, l'eau, le sucre et le zeste de citron dans une casserole et faites chauffer à feu doux jusqu'à dissolution du sucre. Ajoutez les pêches sans les peler et laissez mijoter 20 minutes.
2 Quand les pêches sont tendres, retirez la casserole du feu et laissez refroidir. Transférez les pêches dans un plat creux avec le sirop de cuisson. Couvrez et réfrigérez 3 heures.
3 Pelez les pêches, éliminez le zeste de citron. Servez les pêches arrosées de sirop.

Par portion lipides 0,1 g ; 283 kcal

Fruits rouges au mascarpone

Pour 6 personnes.

PRÉPARATION 10 MINUTES

250 g de fraises, coupées en quatre
200 g de framboises
200 g de myrtilles
2 c. s. de vinaigre de framboise
1/4 c. c. de poivre noir moulu
125 ml de crème fraîche
200 g de mascarpone
55 g de sucre glace

1 Mélangez les fruits, le vinaigre et le poivre dans un récipient. Couvrez et réfrigérez 1 heure.
2 Battez la crème jusqu'à ce que de petits pics se forment à la surface, puis ajoutez le mascarpone en deux fois, sans cesser de battre.
3 Répartissez la salade de fruits sur les assiettes de service, sur un lit de crème au mascarpone. Arrosez les fruits de leur jus et saupoudrez de sucre glace.

Par portion lipides 28,4 g ; 178 kcal

Figues grillées au miel

Pour 6 personnes.

PRÉPARATION 5 MINUTES • CUISSON 5 MINUTES

6 grosses figues
2 c. s. de sucre semoule
90 g de miel
1 c. c. d'extrait de vanille

1 Ouvrez les figues en deux, saupoudrez l'intérieur de sucre semoule et disposez-les sur une plaque de cuisson.
2 Faites-les cuire sous le gril pendant 5 minutes, jusqu'à ce que le sucre commence à caraméliser.
3 Pendant ce temps, mélangez le miel et l'extrait de vanille dans une casserole. Faites chauffer à feu doux pour que le miel se liquéfie.
4 Servez les figues chaudes arrosées de miel.

Par portion lipides 0,2 g ; 101 kcal

Raisins givrés

Pour 8 personnes.

PRÉPARATION 10 MINUTES • CONGÉLATION 1 HEURE

500 g de raisin blanc
500 g de raisin noir
60 ml de liqueur à l'orange

1 Nettoyez les grains de raisin, coupez-les en deux et retirez les pépins. Mélangez-les avec la liqueur dans un saladier, couvrez et laissez reposer 1 heure au frais.
2 Chemisez une plaque de cuisson de papier sulfurisé et étalez dessus les moitiés de raisin, face bombée vers le haut. Congelez 1 heures, jusqu'à ce que les grains de raisin soient givrés, puis transférez-les dans un saladier. Servez rapidement.

Par portion lipides 0,2 g ; 111 kcal

Les fruits frais

Les douceurs

Gâteaux au café, au chocolat ou aux amandes : la cuisine italienne regorge de trésors sucrés pour accompagner un expresso ou pour terminer un repas de fête. Vous trouverez ici les recettes des grands classiques de la cuisine italienne, comme le célèbre panettone.

Truffes à la noisette et au chocolat

Pour 32 truffes.

PRÉPARATION 35 MINUTES • RÉFRIGÉRATION 3 HEURES • CUISSON 5 MINUTES

60 ml de crème fraîche
30 g de beurre
250 g de chocolat blanc, coupé en petits morceaux
35 g de noisettes grillées, finement hachées
2 c. s. de liqueur Frangelico (à la noisette)
200 g de chocolat noir, fondu
100 g de chocolat blanc, fondu

1 Mettez la crème, le beurre et le chocolat blanc en morceaux dans une casserole et faites chauffer à feu doux, en remuant sans cesse, jusqu'à ce que le chocolat soit fondu. Incorporez les noisettes et la liqueur, remuez, puis versez le mélange dans un récipient. Couvrez et réservez 1 heure au frais, en remuant de temps en temps, jusqu'à ce que le mélange raffermisse légèrement.
2 Confectionnez des petites boules avec le mélange de chocolat, puis mettez-les 1 heure au frais sur une plaque, jusqu'à ce qu'elles soient fermes.
3 Enrobez les truffes de chocolat noir fondu et laissez reposer.
4 Décorez les truffes de chocolat blanc fondu, puis réservez 1 heure au frais, sans couvrir, jusqu'à ce que le chocolat soit très ferme.

Par portion lipides 7,3 g ; 118 kcal

L'astuce du chef

Ces truffes sont meilleures quand elles sont préparées la veille. On les conservera au frais, dans un récipient hermétique.

Florentins

Pour 20 biscuits.

PRÉPARATION 40 MINUTES • CUISSON 50 MINUTES • RÉFRIGÉRATION 1 HEURE

35 g d'amandes effilées
30 g de noix broyées
1 c. s. d'écorces d'agrumes confites
1 c. s. de raisins secs
5 cerises confites
3 morceaux de gingembre confit
60 g de beurre
55 g de sucre en poudre
1 c. s. de crème fraîche
125 g de chocolat noir, fondu

1 Hachez finement les amandes, les noix, les écorces d'agrumes, les raisins, les cerises et le gingembre. Transférez dans un grand saladier.

2 Mélangez le beurre et le sucre dans une petite casserole et faites cuire à feu doux jusqu'à ce que le beurre soit fondu. Portez à ébullition, puis laissez bouillir 1 minute, sans remuer, jusqu'à ce que la préparation commence à dorer. Versez alors le beurre fondu et la crème sur les fruits hachés ; remuez bien.

3 Déposez des petites bouchées de cette préparation sur une plaque de four graissée en tassant bien pour former des palets. Procédez en plusieurs fois pour éviter que les gâteaux ne collent entre eux à la cuisson.

4 Faites cuire 10 minutes au four, jusqu'à ce que les biscuits soient dorés. Sortez-les du four. À l'aide d'une spatule en métal, découpez les bords des florentins pour leur donner une forme régulière. Soulevez-les délicatement pour les déposer sur une grille métallique ; laissez refroidir.

5 Nappez de chocolat fondu la base des florentins. Lorsque le chocolat a presque pris, dessinez des vagues à l'aide d'une fourchette. Disposez les biscuits sur un plateau ; conservez au réfrigérateur jusqu'à ce que le chocolat ait durci.

Par portion lipides 6,8 g ; 96 kcal

Gâteau à l'huile d'olive

Pour 10 personnes.

PRÉPARATION 25 MINUTES • CUISSON 45 MINUTES

3 œufs
220 g de sucre semoule
1 c. s. de zeste d'orange, râpé
335 g de farine à levure incorporée
60 ml de jus d'orange
125 ml de lait écrémé
250 ml d'huile d'olive
125 ml de jus d'orange chaud
40 g de sucre glace

1 Préchauffez le four à 180 °C. Graissez un moule carré de 23 cm de côté.

2 Battez les œufs, le sucre et le zeste d'orange jusqu'à obtention d'un mélange épais. Ajoutez la farine. Mélangez le jus d'orange, le lait et l'huile d'olive, et versez ce mélange en trois fois sur les œufs battus, en remuant bien entre chaque ajout pour amalgamer tous les ingrédients. Versez la préparation dans le moule.

3 Faites cuire 45 minutes au four. Laissez reposer 5 minutes avant de démouler sur une grille.

4 Arrosez de jus d'orange chaud et saupoudrez de sucre glace. Laissez refroidir avant de servir.

Par portion lipides 24,8 g ; 447 kcal

Gâteau aux noix et aux figues

Pour 8 personnes.

PRÉPARATION 25 MINUTES • CUISSON 1 HEURE

3 œufs
110 g de sucre en poudre
125 g de noisettes grillées, coupées grossièrement
90 g d'amandes effilées, coupées grossièrement
125 g de figues séchées, coupées grossièrement
125 g d'écorces d'agrumes confites, coupées grossièrement
90 g de chocolat noir, râpé finement
185 g de farine à levure incorporée

1 Mixez les œufs et le sucre dans un saladier jusqu'à obtention d'un mélange aéré.

2 Ajoutez les noisettes, les amandes, les figues, les écorces d'agrumes et le chocolat ; remuez délicatement.

3 Incorporez délicatement la farine tamisée. Mettez le mélange dans un moule à cake graissé et faites cuire 1 heure au four, jusqu'à ce que le gâteau soit doré. Laissez reposer à température ambiante, puis démoulez le gâteau sur une grille métallique et laissez refroidir avant de le découper.

Par portion lipides 21,7 g ; 453 kcal

Caramels aux amandes

Pour 75 caramels.

PRÉPARATION 15 MINUTES • CUISSON 50 MINUTES

385 g de sucre en poudre
2 c. s. de jus de citron
160 g d'amandes mondées
90 g de mélasse raffinée
300 ml de crème fraîche

1 Faites chauffer 110 g de sucre et le jus de citron à feu doux, jusqu'à ce que le sucre soit dissous. Prolongez la cuisson de 6 minutes environ sans remuer, jusqu'à ce que le sucre brunisse. Retirez la casserole du feu. Ajoutez les amandes et mélangez bien. Versez la préparation sur une plaque de marbre huilée et laissez refroidir.

2 Mélangez le reste du sucre, la mélasse et la crème dans une casserole à fond épais et portez à ébullition en remuant sans cesse. Baissez le feu et laissez frémir jusqu'à obtention d'un caramel clair. Comptez environ 30 minutes de cuisson. Si vous disposez d'un thermomètre à sucre, portez le sirop à 126 °C.

3 Pilez le caramel aux amandes (étape 1) jusqu'à obtention d'une poudre fine.

4 Incorporez cette dernière à la préparation à base de crème. Versez le tout dans un moule rectangulaire et laissez refroidir 10 minutes. Dessinez des carrés de 2,5 cm de côté. Découpez les carrés quand la préparation est refroidie.

Par portion lipides 2,9 g ; 215 kJ

Panettone

Pour 2 panettone.

PRÉPARATION 40 MINUTES • CUISSON 45 MINUTES

160 g de raisins secs
40 g de fruits confits mélangés
80 ml de marsala
2 c. s. de levure
1 c. c. de sucre semoule
60 ml de lait chaud
750 g de farine
1 c. c. de sel
55 g de sucre semoule supplémentaire
3 œufs, légèrement battus
3 jaunes d'œufs
2 c. c. de zeste d'orange, râpé
1 c. c. d'extrait de vanille
100 g de beurre, ramolli
250 ml de lait chaud supplémentaire
1 œuf légèrement battu supplémentaire

1 Graissez deux moules ronds. Chemisez le pourtour de papier sulfurisé en le laissant dépasser de 6 cm.

2 Faites tremper les raisins secs et les fruits confits dans le marsala pendant 30 minutes. Mélangez la levure, le sucre semoule et le lait chaud dans un bol et remuez pour faire dissoudre le sucre. Couvrez et laissez reposer 10 minutes dans un endroit chaud.

3 Mélangez la farine, le sel et le sucre supplémentaire dans un saladier. Creusez un puits au centre. Incorporez les œufs, les jaunes d'œufs, le zeste d'orange, l'extrait de vanille, le beurre, le lait supplémentaire, le mélange à base de levure et les fruits au marsala, sans les égoutter.

4 Avec une cuillère en bois, battez énergiquement jusqu'à obtention d'une pâte élastique (elle doit se décoller des bords du saladier). Couvrez avec un film alimentaire légèrement graissé et laissez reposer 30 minutes dans un endroit chaud. Préchauffez le four à 200 °C.

5 Quand la pâte a doublé de volume, pétrissez-la 10 minutes sur un plan de travail fariné. Divisez-la en deux parts égales et pétrissez chaque part 5 minutes sur le plan de travail. Garnissez les deux moules, couvrez et laissez reposer 30 minutes dans un endroit chaud. La pâte doit à nouveau doubler de volume. Badigeonnez avec l'œuf supplémentaire et faites cuire 15 minutes au four, sans couvrir. Baissez le four à température moyenne et poursuivez la cuisson pendant 30 minutes. Laissez refroidir avant de servir.

Par portion lipides 71,7 g ; 260 kcal

Macarons à la crème

Pour 12 biscuits.

PRÉPARATION 35 MINUTES • CUISSON 20 MINUTES

260 g de farine à levure incorporée
60 g de beurre
110 g de sucre en poudre
1 c. s. de zeste de citron, râpé
1 c. s. d'essence de vanille
1 œuf
60 ml de lait
1 c. s. d'eau
1 c. s. de liqueur (Grand Marnier, Cointreau, Amaretto...)
crème fouettée
sucre glace

1 Mettez la farine dans un saladier. Ajoutez le beurre en mélangeant avec les doigts, puis le sucre. Formez un puits au centre ; ajoutez le zeste de citron, l'essence de vanille, l'œuf et le lait.

2 Mélangez tous les ingrédients et formez une boule grossière que vous déposez sur une surface farinée ; pétrissez délicatement jusqu'à ce que la pâte soit lisse et souple.

3 Abaissez la pâte en une feuille de 1 cm d'épaisseur. À l'aide d'un emporte-pièce, formez des disques de 5 cm de diamètre que vous disposez sur une plaque de four graissée, en conservant un intervalle de 2,5 cm entre chaque disque. Faites cuire 15 minutes à four moyen puis laissez refroidir sur une grille.

4 Quand les biscuits sont froids, coupez-les en deux dans la hauteur. Mélangez l'eau et la liqueur et badigeonnez-en la base de chaque biscuit. Garnissez de crème fouettée et refermez les macarons. Saupoudrez de sucre glace.

Par biscuit lipides 7,9 g ; 199 kcal

Amaretti

Pour 20 biscuits.

PRÉPARATION 20 MINUTES • CUISSON 15 MINUTES

125 g de poudre d'amandes
165 g de sucre en poudre
2 blancs d'œufs
1/2 c. c. d'essence de vanille
2 gouttes d'essence d'amande
20 amandes mondées

1 Mixez la poudre d'amandes, le sucre, les blancs d'œufs, l'essence de vanille et d'amande dans un bol. Laissez reposer 5 minutes.

2 Transférez cette préparation dans une poche à douille munie d'un embout simple de 1 cm ; déposez des disques de pâte sur une plaque graissée. Garnissez avec une amande mondée.

3 Faites cuire 15 minutes à four moyen, jusqu'à ce que les biscuits soient légèrement dorés. Laissez reposer quelques minutes sur la plaque, avant de décoller les biscuits un à un avec une spatule en métal. Laissez refroidir sur une grille.

Par biscuit lipides 4,1 g ; 87 kcal

Nougat blanc aux amandes

Pour 25 tranches.

PRÉPARATION 15 MINUTES • CUISSON 20 MINUTES

Un thermomètre à sucre est indispensable pour cette recette. Placez-le dans une grande casserole d'eau frémissante dès que le sirop commence à chauffer. Cela l'empêchera de se fendre quand vous le plongerez dans le sirop. Quand le sirop est à bonne température, remettez le thermomètre dans la casserole et ôtez la casserole du feu. Attendez qu'il refroidisse pour le sécher et le ranger.

2 feuilles de papier de riz (15 cm x 20 cm)
480 g d'amandes mondées
175 g de miel
300 g de sucre en poudre
2 c. s. d'eau
1 blanc d'œuf

1 Préchauffez le four à 180 °C. Graissez légèrement un moule à gâteau rectangulaire, puis garnissez-le de papier sulfurisé en laissant déborder ce dernier de 5 cm sur les côtés. Procédez de même avec une feuille de papier de riz.

2 Étalez les amandes en une seule couche sur une plaque du four et faites-les griller 10 minutes. Transférez-les dans un récipient résistant à la chaleur. Pendant ce temps, mélangez le miel, le sucre et l'eau dans une casserole ; faites chauffer à feu doux en remuant bien, sans laisser bouillir, jusqu'à ce que le sucre soit dissous. À l'aide d'un pinceau à pâtisserie trempé dans de l'eau chaude, brossez les côtés de la casserole pour dissoudre le sucre cristallisé.

3 Portez le sirop à ébullition ; laissez-le bouillir 10 minutes sans couvrir ni remuer, jusqu'à ce qu'il atteigne 164 °C. Retirez-le aussitôt du feu. Juste avant que le sirop soit prêt, battez le blanc d'œuf en neige. Sans cesser de battre, incorporez progressivement le sirop chaud.

4 Versez cette préparation sur les amandes et mélangez bien, puis transférez le tout dans le moule en pressant bien. Couvrez avec la seconde feuille de papier de riz découpée à la taille du moule et pressez légèrement. Laissez reposer 2 heures. Démoulez le nougat et mettez-le dans un récipient hermétique. Coupez-le en tranches de 1 cm d'épaisseur.

Par portion lipides 10,6 g ; 183 kcal

L'ASTUCE DU CHEF

Ce nougat se conserve 2 semaines dans un récipient hermétique.

Panforte

Pour 8 personnes.

PRÉPARATION 30 MINUTES • CUISSON 1 HEURE

125 g d'amandes mondées, grillées
125 g de noisettes grillées, hachées grossièrement
60 g d'abricots confits, hachés finement
60 g d'ananas confit, haché finement
60 g d'écorces d'agrumes confites, hachées finement
100 g de farine
2 c. s. de cacao en poudre
1 c. c. de cannelle
75 g de sucre en poudre
175 g de miel
60 g de chocolat noir, fondu
sucre glace

1 Mélangez les amandes, les noisettes, les abricots, l'ananas, les écorces d'agrumes, la farine, le cacao et la cannelle dans un saladier.
2 Graissez un moule de 20 cm de diamètre. Garnissez la base et les côtés de papier sulfurisé graissé.
3 Mettez le sucre et le miel dans une casserole ; faites chauffer à feu doux jusqu'à ce que le sucre soit dissous. Portez à ébullition, puis baissez le feu et laissez mijoter 5 minutes sans couvrir, jusqu'à obtention d'un caramel clair. Mélangez ce caramel avec le chocolat fondu, versez le tout sur les fruits mélangés et remuez vivement.
4 Étalez rapidement le mélange dans le moule et lissez la surface. Faites cuire 35 minutes à four moyen. Sortez le gâteau du four et laissez-le refroidir dans le plat. Retournez-le, puis ôtez le papier. Enveloppez-le dans une feuille de papier aluminium et laissez reposer au moins 1 jour avant de le découper. Garnissez de sucre glace tamisé avant de servir.

Par portion lipides 21,1 g ; 460 kcal

L'astuce du chef

Ce gâteau se conserve plusieurs semaines à température ambiante, dans du papier aluminium.

Gâteau chocolaté au café

Pour 8 personnes.

PRÉPARATION 20 MINUTES • CUISSON 45 MINUTES

3 c. c. de café soluble
1 c. s. d'eau chaude
3 œufs, légèrement battus
165 g de sucre semoule
150 g de farine à levure incorporée
1 c. s. de chocolat en poudre
150 g de beurre fondu

Sauce au café

165 g de sucre semoule
180 ml d'eau
3 c. c. de café soluble

1 Graissez un moule à baba. Faites dissoudre le café dans l'eau. Préchauffez le four à 180 °C.
2 Battez les œufs pendant 8 minutes jusqu'à obtention d'un mélange épais, puis ajoutez progressivement le sucre, en battant après chaque ajout. Incorporez la farine, le chocolat en poudre et le beurre fondu, puis versez la préparation dans le moule.
3 Faites cuire 40 minutes au four, puis laissez reposer 5 minutes à température ambiante avant de démouler. Arrosez avec la moitié du sirop au café et servez le reste dans une saucière.

Sauce au café Mélangez tous les ingrédients dans une casserole et remuez à feu doux. Quand le sucre est dissous, portez à ébullition jusqu'à léger épaississement. Versez le sirop dans un pichet.

Par portion lipides 17,7 g ; 389 kcal

Biscotti au citron et aux pistaches

Pour 60 pièces.

PRÉPARATION 20 MINUTES • CUISSON 40 MINUTES

60 g de beurre
220 g de sucre semoule
1 c. c. d'extrait de vanille
1 c. s. de zeste de citron
4 œufs
335 g de farine
1 c. c. de levure
1/2 c. c. de bicarbonate de soude
150 g de pistaches décortiquées, hachées grossièrement

1 Battez le beurre, le sucre, l'extrait de vanille et le zeste de citron, puis ajoutez 3 œufs sans cesser de battre, jusqu'à obtention d'un mélange homogène. Ajoutez la farine, la levure, le bicarbonate de soude et les pistaches. Préchauffez le four à 170 °C.

2 Travaillez la pâte sur une surface farinée jusqu'à ce qu'elle soit lisse. Façonnez deux bûchettes de 30 cm de long et disposez-les sur une plaque de cuisson légèrement huilée. Battez l'œuf restant avec 1 cuillerée à soupe d'eau et étalez ce mélange au pinceau sur les bûchettes.

3 Faites cuire 20 minutes au four, puis laissez refroidir.

4 Avec un couteau à dents, coupez les bûchettes en biais, en tranches de 1 cm d'épaisseur. Étalez les tranches en une seule couche sur une plaque de cuisson et faites-les dorer 15 minutes au four, en les retournant à mi-cuisson. Laissez refroidir à température ambiante.

Par portion lipides 2,5 g ; 62 kcal

Conservation

Ces biscotti se conservent 2 semaines dans un récipient hermétique.

Biscotti à l'anis

Pour 40 pièces.

PRÉPARATION 40 MINUTES • CUISSON 1 HEURE • RÉFRIGÉRATION 1 HEURE

125 g de beurre doux
165 g de sucre semoule
3 œufs
2 c. s. de cognac
1 c. s. de zeste de citron, râpé
225 g de farine
110 g de farine à levure incorporée
125 g d'amandes mondées grillées, hachées grossièrement
1 c. s. de graines d'anis, moulues

1 Battez le beurre et le sucre dans un récipient ; ajoutez les œufs un à un, en battant bien entre chaque ajout. Ajoutez le cognac et le zeste de citron ; mélangez. Incorporez les deux farines.

2 Ajoutez les amandes et les graines d'anis. Couvrez et conservez 1 heure au réfrigérateur.

3 Divisez la pâte en deux et disposez chaque portion sur un plat graissé allant au four en formant deux pains de 5 cm sur 30 cm.

4 Faites cuire 20 minutes à four moyen. Sortez du four et laissez refroidir. À l'aide d'un couteau à dents, coupez les pains en tranches de 1 centimètre, en diagonale. Disposez ces tranches en une seule couche sur une plaque de cuisson légèrement graissée. Faites cuire 25 minutes à four moyen.

Par portion lipides 4,9 g ; 95 kcal

Conservation

Ces biscotti se conservent 2 semaines dans un récipient hermétique.

Biscotti amandes-chocolat

Pour 25 pièces.

PRÉPARATION 25 MINUTES • CUISSON 45 MINUTES

60 g de beurre
220 g de sucre semoule
1 c. c. d'extrait de vanille
3 œufs
335 g de farine
1/2 c. c. de bicarbonate de soude
1 c. c. de levure
240 g d'amandes, hachées grossièrement
25 g de chocolat en poudre

1 Battez le beurre, le sucre et l'extrait de vanille, puis ajoutez les œufs un à un sans cesser de battre, jusqu'à obtention d'un mélange homogène. Incorporez la farine, le bicarbonate de soude, la levure et les amandes. Couvrez et laissez reposer 1 heure au réfrigérateur.

2 Façonnez une bûchette de 30 cm de long avec la moitié de la pâte. Incorporez le cacao dans le reste de pâte, puis formez une seconde bûchette. Roulez ensemble les deux bûchettes de manière à obtenir un pain marbré, placez ce dernier sur une plaque de cuisson légèrement huilée et faites cuire 20 minutes à four moyen. Laissez refroidir.

4 Avec un couteau à dents, coupez le pain en biais, en tranches de 1 cm d'épaisseur. Étalez les tranches en une seule couche sur une plaque de cuisson et faites-les cuire 15 minutes au four, en les retournant à mi-cuisson. Laissez refroidir à température ambiante.

Par portion lipides 8,2 g ; 171 kcal

Conservation

Ces biscotti se conservent 2 semaines dans un récipient hermétique.

Biscotti café-noisettes

PRÉPARATION 35 MINUTES • CUISSON 40 MINUTES

Pour 20 pièces.

110 g de sucre semoule
2 œuf, légèrement battu
110 g de farine
1/2 c. c. de levure
1 c. s. de café soluble
150 g de noisettes grillées, hachées grossièrement
100 g de chocolat noir fondu

1 Battez le sucre et 1 œuf, puis ajoutez la farine, le bicarbonate de soude, le café et les noisettes jusqu'à obtention d'une pâte ferme.

2 Formez 1 bûchette de 30 cm de long et mettez-la sur une plaque de cuisson légèrement huilée. Battez l'œuf restant avec 1 cuillerée à soupe d'eau et étalez ce mélange au pinceau sur la bûchette.

3 Faite cuire 25 minutes à four moyen, puis laissez refroidir.

4 Avec un couteau à dents, coupez la bûchette en biais, en tranches de 1 cm d'épaisseur. Étalez les tranches en une seule couche sur une plaque de cuisson et faites-les cuire 15 minutes au four, jusqu'à ce qu'elles soient croquantes.

5 Nappez de chocolat une des faces des biscotti et laissez-les refroidir à température ambiante.

Par biscotti Lipides 6,5 g ; 116 kcal

Conservation

Ces biscotti se conservent 2 semaines dans un récipient hermétique.

Les biscotti

Glossaire

Ail
Bulbes à gousses blanches très utilisés dans la cuisine. Pilé, écrasé ou haché, l'ail parfume beaucoup de plats méditerranéens.

Alcools et liqueurs
L'alcool est facultatif. Il donne une saveur particulière à vos recettes, mais vous pouvez le remplacer par du jus de fruit ou de l'eau pour respecter le taux de liquidité nécessaire.
Amaretto Liqueur aux amandes amères.
Cointreau Liqueur à l'orange.
Frangelico Liqueur à la noisette.
Grand Marnier Liqueur à l'orange.
Kalhua Liqueur au chocolat.
Maraschino Liqueur de cerises.
Tia Maria Liqueur au café.
Rhum Eau-de-vie obtenue par la fermentation du jus de canne à sucre.

Amandes
Mondées Épluchées.
Effilées En fines lamelles.

Amidon de maïs
S'utilise comme épaississant.

Anchois
Ce poisson de petite taille est sans doute un des préférés des Italiens. Se consomme frais (cru et juste arrosé d'un jus de citron ou mariné dans l'huile d'olive, ou encore frit ou grillé) ou en conserve (en saumure ou à l'huile d'olive). On l'emploie sur des pizzas ou pour parfumer certains plats. Peut se servir en antipasto, sur des tartines grillées.

Aneth
Plante ombellifère au goût d'anis, dont les feuilles et la tige sont utilisées pour parfumer les plats.

Anis étoilé
En forme d'étoile, au goût prononcé d'anis. Utilisé entier ou en infusion pour parfumer les desserts ou certains plats. Également appelé badiane.

Arroche
Petite plante à feuilles vertes charnues, qui pousse dans les terres marécageuses des pays méditerranéens. Peut être remplacée par de la mâche ou de la petite roquette.

Artichaut (cœur d')
Centre de l'artichaut, qui est la partie la plus tendre. On peut utiliser des cœurs d'artichauts frais ou les acheter en boîte ou en saumure dans des bocaux.

Aubergine
Légume commun dans la cuisine méditerranéenne. Ronde ou allongée, l'aubergine a une peau ferme allant du violet foncé au mauve.

Sa pulpe est blanche ou verdâtre et pleine de petites graines tendres.

Babeurre
Liquide résultant du battage de la crème dans la préparation du beurre. Vendu en grandes surfaces.

Bacon
Poitrine de porc maigre, fumée. La partie striée de la tranche est la plus grasse.

Bain-marie
Bain d'eau bouillante ou très chaude dans lequel on place un récipient contenant une préparation à cuire, faire fondre ou réchauffer. Si vous faites fondre du chocolat ou cuire des œufs au bain-marie, au-dessus d'une casserole d'eau bouillante, l'eau ne doit pas être en contact avec la base du récipient.

Basilic
Plante aromatique originaire d'Asie. Très utilisée dans la cuisine italienne, en particulier pour préparer le pesto. Les petites feuilles vertes du basilic sont plus savoureuses fraîches ou conservées dans l'huile que séchées.

Bicarbonate de soude
Utilisé en petite quantité comme poudre à lever dans la pâtisserie.

Biscuit à la cuillère
Biscuit moelleux aux œufs, saupoudré de sucre ou de sucre glace ; utilisé en pâtisserie.

Blanchir
Plonger dans l'eau bouillante légume ou viande pour les attendrir avant de les accommoder.

Bœuf
Pour les recettes de cet ouvrage, utilisez de préférence une pièce de bœuf tendre et maigre. Filet et rumsteck sont de tout premier choix, mais on peut les remplacer par du faux-filet, de l'entrecôte, des aiguillettes, de l'aloyau, de l'onglet, de la bavette ou encore de la tranche à fondue.

Bouillon
Une tablette (ou 1 cuillerée à café de bouillon en poudre) permet de réaliser 250 ml de bouillon.

Boulgour
Grains de blé décortiqués et cuits à la vapeur, puis séchés et broyés. Utilisé dans la cuisine du Moyen-Orient, pour le taboulé par exemple.

Braiser
Cuire doucement à l'étouffée (dans un récipient fermé), avec très peu de liquide.

Brocoli
Légume de la famille du chou. Doit être coupé en bouquets avant la cuisson. Les tiges se consomment, mais nécessitent une cuisson plus longue.

Calamar
Le calamar a un corps tubulaire comportant deux nageoires et une tête, à laquelle sont attachés dix tentacules. Le calamar peut être cuisiné entier, en morceaux ou en anneaux. Vous pouvez aussi le griller ou en faire des beignets.

Cannelle
Écorce d'un arbre originaire d'Asie. En poudre ou en bâton, cette épice s'utilise pour parfumer les sauces, les viandes, les gibiers. Elle est également utilisée dans les crèmes, les compotes et les pâtisseries.

Cantaloup
Variété de melon du sud de la France.

Câpre
Bouton à fleurs d'une plante méditerranéenne, cuit dans du vinaigre ou séché et salé. Goût piquant qui relève sauces et condiments.

Cardamome
En gousses, en graines ou en poudre. Saveur très parfumée, poivrée et douce à la fois.

Carvi
Ombellifère dont les fruits servent de condiment. Vendu en graines ou moulu.

Champignon
Brun suisse Champignon allant du marron clair au marron foncé au goût léger.

De Paris Petit champignon blanc au goût délicat.

Chapelure
Poudre élaborée avec du pain rassis réduit en miettes. On trouve de la chapelure toute prête dans le commerce.

Chemiser
Tapisser le fond et/ou les parois d'un moule pour éviter que la préparation n'adhère.

Chocolat
À base de fèves de cacao grillées et broyées avec du sucre, de la vanille ou tout autre ingrédient parfumé, le chocolat est vendu sous des formes très variées : tablettes, poudre, pastilles, pépites…

Pastilles Composées de chocolat noir, au lait ou blanc, on peut les faire fondre dans des préparations. Vendues en grandes surfaces.

Pépites Contrairement aux pastilles, les pépites de chocolat gardent leur forme à la cuisson. Vendues également en grandes surfaces.

Chou
Chou pommé Rond, feuilles vertes en périphérie et blanches à l'intérieur.

Chou frisé Ou choux de Milan. Feuilles vert profond et frisées.

Chou rouge Feuilles très serrées à couper en lanières.

Ciabatta
Un des pains les plus populaires en Italie. La pâte est additionnée d'huile d'olive et lève pendant 6 heures, d'où son moelleux. Cuit au feu de bois dans des fours ou l'on fait évaporer l'eau.

Ciboulette
Plante de la famille de l'oignon, dont les feuilles creuses et minces, au goût subtil d'oignon, sont employées comme condiment. On peut lui substituer des tiges de ciboules, à la saveur plus prononcée, mais moins délicate.

Clou de girofle
Bouton fermé de la fleur du giroflier, séché au soleil, dont on se sert dans de nombreuses recettes (du vin chaud aux viandes rôties, en passant par les sauces, les marinades, les conserves, les fruits cuits…).

Coriandre
Aussi appelée persil arabe ou chinois, car elle est très employée dans les cuisines nord-africaine et asiatique. On utilise les feuilles, les racines ou les graines, qui n'ont pas du tout le même goût.

Crème fraîche
35 % de matières grasses minimum. Sans additifs, contrairement à la crème épaissie. On peut souvent la remplacer par du fromage blanc, moins riche, ou de la crème fraîche allégée (18 % de matières grasses).

Cresson
Petites feuilles rondes croquantes vert foncé. Son goût est légèrement amer et poivré ; utilisé dans des salades, des soupes ou des sandwichs.

Crevette
Les crevettes appartiennent à la famille du homard. Elles rougissent à la cuisson quelle que soit leur couleur d'origine (du rose pâle au rouge profond). Les gambas sont de très grosses crevettes, les bouquets sont de taille moyenne. Il existe aussi des petites crevettes grises très savoureuses.

Curcuma
Cette épice de la famille du gingembre est une racine qu'on réduit en poudre ; elle possède une saveur épicée mais ne pique pas.

Émincer
Couper en tranches très fines.

Épinard
Plante potagère aux feuilles d'un vert soutenu. On consomme les épinards crus ou cuits, hachés ou en branches.

Extrait
Liquide aromatique concentré, utilisé pour parfumer les plats.

Farine
À levure incorporée La levure est souvent composée de 2/3 de crème de tarte et de 1/3 de bicarbonate de soude ; 10 g de levure pour 230 g de farine.

De blé Pour tous usages.

Fenouil
Le bulbe du fenouil s'emploie comme légume. Les graines sont également utilisées pour parfumer les plats, avec une saveur très proche de l'anis.

Filets de poisson
Morceaux de poisson sans arêtes et sans peau.

Filtrer
Passer un liquide au travers d'un tamis fin ou chinois pour en retenir les éléments solides (herbes, aromates, légumes ayant servi à donner du goût à la préparation).

Flocons d'avoine
Grains d'avoine cuits à la vapeur et aplatis. Variété traditionnelle.

Fromage
Bocconcini Voisin de la mozzarella, aussi appelé « mozzarella cerise », on le trouve en petites boules de la taille d'une bouchée, conservées dans de l'eau. À consommer dans les 48 heures.

Cheddar Fromage de vache orangé, au goût assez prononcé. À consommer de préférence vieilli et dur. On peut le remplacer par de la mimolette, mais celle-ci est moins savoureuse.

Fromage à pâte persillée Pâte claire veinée de bleu. Le gorgonzola et le castello appartiennent à cette famille de fromages.

Feta Fromage de brebis, d'origine grecque, dur et friable, au goût très fort.

Mozzarella Petites boules rondes conservées dans leur petit-lait, à garder au réfrigérateur. La « mozzarella di buffala » a un goût plus prononcé que la mozzarella au lait de vache. On trouve dans les épiceries italiennes de la mozzarella fumée.

Parmesan Dur, sec et friable, au goût très marqué. Fabriqué à partir de lait partiellement ou totalement écrémé et affiné pendant un minimum de 12 mois. Le parmigiano reggiano, vieilli pendant trois ans, est l'un des plus savoureux.

Pecorino Fromage italien proche du parmesan, mais préparé à partir de lait de brebis. D'une belle couleur jaune paille, sa croûte devient rouge sombre en vieillissant.

Provolone Fromage gras et compact au lait de vache, originaire de la province de Potenza en Italie.

Fruit de la passion
Fruit tropical ; vous pouvez vous servir du jus pour parfumer vos salades de fruits.

Germes
Pousses tendres d'une variété de haricots et de graines que l'on fait germer pour être

consommées. On trouve principalement des germes de soja, de blé, de haricots mung et d'alfafa.

Glace napolitaine
Glace comprenant un assortiment de trois parfums, habituellement fraise, vanille et chocolat.

Gremolata
Assaisonnement italien fait d'ail finement haché, de persil et de zeste de citron.

Gressins
Petits pains croustillants, en forme de bâtonnets.

Haricots
Beurre D'une couleur jaune pâle, ils se cuisinent comme les haricots verts.

Secs Graines de haricots séchées, plus ou moins grosses selon les espèces. Nécessitent souvent un trempage préalable à la cuisson (eau froide puis ébullition plus ou moins longue selon les espèces). Les variétés italiennes les plus utilisées sont les borlotti ou coco rose (grain blanc tacheté de rouge) et les cannellini (grain blanc et rond), qui nécessitent une cuisson lente.

Verts Minces et effilés, on les mange juste cuits pour conserver leur croquant.

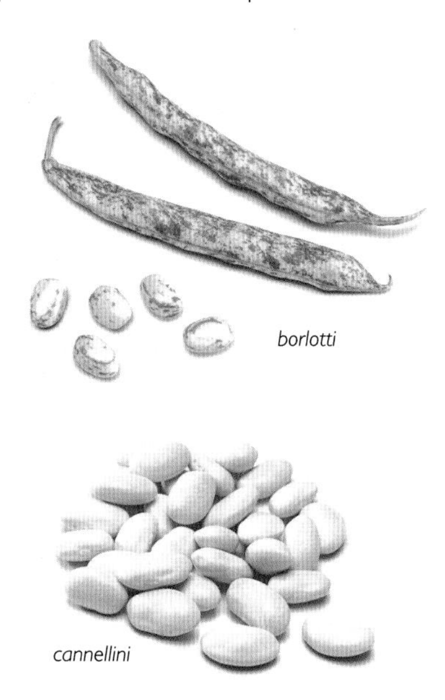
borlotti

cannellini

Herbes
Nous spécifions si nous employons des herbes fraîches ou sèches. 1 cuillerée d'herbes sèches équivaut à 4 cuillerées d'herbes fraîches.

Huile
Olive Les meilleures sont vierges ou extra vierges et proviennent du premier pressage de la récolte. Excellente dans les salades et comme ingrédient.

Sésame À base de graines de sésame blanches rôties et pilées. Cette huile est surtout utilisée pour parfumer.

Végétale À base de plantes et non de graisses animales. Idéale pour les fritures.

Langoustine
Variété de crustacé voisine du homard, avec pince (contrairement à la langouste). On les

cuit à l'eau bouillante jusqu'à ce que leur carapace devienne rouge vif.

Laurier
Plante aromatique aux feuilles odorantes et persistantes utilisées dans les courts-bouillons et les soupes. Fraîches, les feuilles sont plus parfumées que sèches.

Lentilles
Légumineuse très consommée en Italie, la lentille se prête à de nombreuses préparations. Il en existe différentes variétés, qui portent le nom de leur région d'origine. Si vous ne pouvez vous procurer des lentilles originaires d'Italie, utilisez des lentilles vertes du Puy, très savoureuses.

Maïzena
Farine de maïs. Sert à épaissir.

Menthe
Plante odorante à fleurs roses ou blanches utilisée en infusion et pour aromatiser les liqueurs, les plats. La plus courante est la menthe poivrée.

Mesclun
Assortiment de diverses salades et de jeunes pousses.

Moules
Mollusques très courants et économiques. À l'achat, les moules doivent être lourdes et fermées, ce qui indique qu'elles sont fraîches. On les prépare en général avec un peu de vin blanc, du poivre, du persil et de l'ail. Éliminez les moules qui ne se sont pas ouvertes pendant la cuisson. On peut aussi les saupoudrer de chapelure et d'ail et les passer au four.

Moutarde
Graines de moutarde noires ou marron Plus fortes que les graines blanches (ou jaunes) utilisées dans la plupart des moutardes.

Moutarde à l'ancienne Moutarde douce très parfumée, avec des graines entières ou légèrement concassées.

Moutarde de Dijon De couleur jaunâtre et de consistance lisse, elle est très piquante.

Muscade
Fruit du muscadier dont la graine, ou noix, de couleur brun foncé, s'utilise râpée pour épicer les sauces, les purées, les gratins et les ragoûts.

Napper
Couvrir un mets de façon uniforme avec une sauce, un coulis ou une crème.

Noisette
Fruit du noisetier. La poudre de noisettes est très souvent utilisée en pâtisserie pour remplacer la farine.

Noix de pécan
Originaire des États-Unis. Elle est plus grasse que la noix ordinaire.

Noix de Saint-Jacques
La noix de Saint-Jacques est un fruit de mer très apprécié et populaire en Italie. Elle comporte une poche orangée, le corail. On prépare les noix de Saint-Jacques avec ou sans le corail en les pochant ou en les passant à la poêle avec de l'ail.

Oignon
Jaune Oignon à chair piquante ; utilisé dans toutes sortes de plats.

Rouge Également appelé oignon espagnol. Plus doux que l'oignon jaune, il est délicieux cru dans les salades.

Vert Oignon cueilli avant la formation du bulbe. La tige verte se mange. À ne pas confondre avec l'échalote.

Olive
Il existe une grande variété d'olives noires ou vertes, plus ou moins grosses et plus ou moins fortes. Elles sont parfois farcies au piment.

Oseille
Plante potagère dont les feuilles comestibles ont un goût acide.

Pancetta
Sorte de saucisson italien comparable à la coppa. S'utilise hachée dans les plats cuisinés pour en relever le goût. On peut la remplacer par du bacon.

Pannetone
Traditionnellement, c'est le gâteau de Noël milanais. Il est préparé à base de fruits secs et de fruits confits (écorces d'orange...).

Petit-lait
Vous en trouverez du frais dans le rayon laiterie des supermarchés ; il est souvent utilisé dans la cuisine nord-africaine. Le procédé de fabrication est le même que pour le yaourt ; il peut ainsi remplacer avantageusement la crème ; il donne du moelleux à la pâtisserie et sert d'assaisonnement aux crudités.

Persil
Il existe deux variétés de persil : le persil frisé et le persil à feuilles plates, plus parfumé.

Pignons de pin
Petites graines provenant des pommes de pin.

Pistache
Graine verte du pistachier utilisée en confiserie ou en cuisine.

Pita
« Poche » de pain libanais qui se divise aisément en deux et que l'on peut garnir à sa convenance.

Pois chiche
Légumineuse ronde, couleur sable. Très courante dans la cuisine méditerranéenne.

Pois gourmands
Ou haricots mange-tout. Se mangent entiers, crus ou cuits.

Poivron
Piment doux à gros fruits rouges, verts ou jaunes. Veillez à retirer les graines et les membranes avant de les cuisiner.

Polenta
Semoule de maïs ; ressemble à la farine de maïs mais en plus grossier ; plat du même nom.

Pommes de terre
Longues Petites et allongées avec un léger goût de noix ; bonnes au four.

Nouvelles Il s'agit de pommes de terre issues d'une récolte précoce.

Rattes Brun clair, de la longueur d'un doigt. Au goût de noisette. Délicieuses rôties et en salade.

Roses Petites avec des yeux roses ; bonnes à la vapeur, bouillies ou au four.

Poulpe
Le poulpe frais rougit à la cuisson. Il a un bec et des yeux qu'il convient d'ôter lors de sa préparation. Il se déguste en salade, poché ou cuit à l'étouffée.

Prosciutto
Jambon italien salé, mis en saumure et séché à l'air (non fumé).

Réduire
Faire bouillir un liquide pour le concentrer en laissant une partie de l'eau s'évaporer.

Réserver
Mettre de côté des ingrédients en attendant de les utiliser.

Ricotta
Fromage frais italien au goût très doux. Vendu dans les magasins spécialisés et dans les grandes surfaces.

Rissoler
Faire colorer des ingrédients dans un corps gras.

riz blanc *riz complet* *riz long-grain* *riz arborio*

Riz
Arborio Riz à grains ronds qui absorbe bien le liquide. Idéal pour le risotto. Ne rincez pas le riz avant la cuisson car vous lui feriez perdre tout son amidon, qui donne au plat sa consistance crémeuse.

Blanc Riz débarrassé de son enveloppe et poli de façon à présenter une graine très blanche. Le temps de cuisson varie selon la grosseur du grain.

Complet Ce riz a conservé son enveloppe brune et n'a pas été poli. Très riche en fibres, il cuit plus longtemps que le riz blanc.

Long grain Le plus savoureux est le riz basmati, délicatement parfumé.

Roquette
Salade au goût poivré.

Safran
Stigmate d'une variété de crocus. Se vend en filaments ou moulu. Donne une couleur orangée. L'épice la plus chère du monde. Reste frais plus longtemps s'il est conservé au réfrigérateur.

Saisir
Faire brunir la surface d'un ingrédient à feu vif. Le cœur doit être à peine cuit.

Salami
Nom générique du saucisson en italien (sing. *salame*). Le saucisson italien comporte 40 % de gras et est principalement fabriqué avec de la viande de porc. La viande est hachée plus ou moins gros et on y ajoute divers ingrédients pour la parfumer. Chaque ville d'Italie a sa spécialité.

Sardine
Poisson commun à chair grasse, consommé dans la plupart des pays du bassin méditerranéen. On la consomme frite ou grillée, ou crue en marinade (citron, vin blanc huile d'olive et condiments). On peut aussi la cuire à la vapeur pour conserver toute sa saveur.

Sauter
Faire cuire un aliment dans de la matière grasse jusqu'à ce qu'il soit doré et tendre.

Saumon
Poisson d'eau douce à chair rose que l'on fait griller ou pocher.

Sésame (graines de)
Graines ovales, noires ou blanches, provenant d'une plante tropicale appelée *Sesamum indicum*. Bonne source de calcium. Pour les faire griller, étalez-les dans une poêle antiadhésive et remuez brièvement à feu doux.

Sucre
Roux Sucre doux et fin, partiellement raffiné.

Semoule Sucre blanc plus fin que le sucre cristallisé ; permet des mélanges plus fins en pâtisserie.

Glace Sucre très fin contenant une petite quantité de farine de maïs (3 %).

Thym
Plante vivace aux feuilles minuscules. En branches ou moulu, il parfume tous les plats de viande ou les marinades.

Tomates
Concentré À utiliser dans les soupes, les ragoûts et les sauces.

Olives ou Roma Tomates assez petites de forme ovale. Chair farineuse. Choisissez-les bien mûres.

Purée de tomates En conserve ou en brique ; remplace les tomates fraîches pelées et mixées.

Tomates séchées Se vendent au poids (marinées dans l'huile d'olive) ou en sachet (sans huile).

Vanille
Fruit du vanillier, en capsules ou en gousses, la vanille est employée pour parfumer les pâtisseries.

Veau
Une des viandes les plus consommées en Italie avec le porc. Tous les morceaux sont utilisés dans la cuisine. Le foie de veau est un abat très apprécié.

Vinaigre balsamique
Provient exclusivement de la province de Modène en Italie ; fait avec un vin local à base de raisin blanc Trebbiano ; traitement spécial et vieillissement en vieux fûts de bois pour lui donner ce goût unique, à la fois doux et mordant.

Xérès
Vin blanc sec de la région de Jerez consommé en apéritif et employé en cuisine.

Table des recettes

Les antipasti

Les soupes

Les pains à l'italienne

Les pâtes

Les bruschette

Les pizzas

Riz, gnocchis et polenta

Les classiques italiens

Les fruits de mer et les poissons

Les viandes

Les volailles

Les frittata

Les salades et les légumes

Les fromages

Les desserts

Les fruits frais

Les douceurs

Les biscotti

Les bouillons

Ces recettes peuvent être préparées 4 jours à l'avance et conservées, à couvert, au réfrigérateur. N'omettez pas d'ôter la graisse en surface lorsque vous sortez le bouillon refroidi. Si vous souhaitez le garder plus longtemps, mieux vaut le congeler en petites quantités.

On peut aussi se procurer du bouillon en boîte ou en berlingot, ou bien en utiliser en cube ou en poudre. Sachez qu'une cuillère à thé de bouillon en poudre ou un petit cube écrasé mélangé à 250 ml d'eau donnera un bouillon relativement fort. Prenez garde au sel et aux graisses contenus dans ces préparations toutes faites.

Bouillon de bœuf

2 kg d'os de bœuf garnis de viande

2 oignons moyens

2 branches de céleri, émincées

2 carottes moyennes, en tranches fines

3 feuilles de laurier

2 c. c. de poivre noir

5 l d'eau

Mettez les os et les oignons hachés non pelés dans un plat allant au four. Faites cuire à four chaud pendant 1 heure environ. Transférez dans une grande casserole, ajoutez le céleri, les carottes, les feuilles de laurier, le poivre et l'eau. Laissez mijoter 3 heures sans couvrir. Passez le bouillon dans un tamis fin.

Bouillon de poule

2 kg d'os de poulet

2 oignons moyens, émincés

2 branches de céleri, en tranches fines

2 carottes moyennes, en tranches fines

3 feuilles de laurier

2 c. c. de poivre noir

5 l d'eau

Mélangez tous les ingrédients dans une grande casserole. Laissez mijoter 2 heures sans couvrir. Passez le bouillon dans un tamis fin.

Bouillon de légumes

2 grosses carottes, en tranches fines

2 gros navets, en tranches fines

4 oignons moyens, en tranches fines

12 branches de céleri, en tranches fines

4 feuilles de laurier

2 c. c. de poivre noir

6 l d'eau

Mélangez tous les ingrédients dans une grande casserole. Faites mijoter 1 h 30 sans couvrir. Passez le bouillon dans un tamis fin.

• MARABOUT •

Traduction et adaptation de l'anglais
Danielle Delavaquerie

Adaptation
Élisabeth Boyer

Mise en page
Domino

Relecture
Armelle Héron

Marabout
43, quai de Grenelle – 75905 Paris Cedex 15

Publié pour la première fois en Australie
en 2002 sous le titre :
Great Italian Food

Dépôt légal n° 62755 – août 2005
ISBN : 2501039580
4036505/03
Édition n° 03

Imprimé en Italie par Rotolito Lombarda